工程监理理论与实务

杨建森　编著

黄河水利出版社

内容提要

我国推行建设工程监理制已十八年了,本书结合我国建设监理制的产生、发展历程,对工程监理的基础理论知识和实践操作过程作了一个简要而全面的叙述,并对监理工作的发展前景作出了乐观的预测。本书主要分三部分:第一部分为基础知识,第二部分为工程监理的实务操作,第三部分提供了一些相关的法律法规。

本书可供工程建筑专业人员学习使用,也可作为大中专院校相关专业的学生的参考书。

图书在版编目(CIP)数据

工程监理理论与实务/杨建森编著.—郑州:黄河水利出版社,2006.9
ISBN 7-80734-140-8
Ⅰ.工…　Ⅱ.杨…　Ⅲ.建筑工程－监督管理
Ⅳ.TU712

中国版本图书馆 CIP 数据核字(2006)第 116220 号

————————————————————————

出　版　社:黄河水利出版社
　　　　　地址:河南省郑州市金水路 11 号　　邮政编码:450003
发行单位:黄河水利出版社
　　　　　发行部电话:0371-66026940　　传真:0371-66022620
　　　　　E-mail:hhslcbs@126.com
承印单位:黄河水利委员会印刷厂
开本:850 mm×1 168 mm　　1/32
印张:7.125
字数:204 千字　　　　　　　　　　印数:1—1 500
版次:2006 年 9 月第 1 版　　　　　印次:2006 年 9 月第 1 次印刷

————————————————————————

书号:ISBN 7-80734-140-8/TU·74　　　　　　　定价:15.00 元

前　言

在我国推行工程建设监理制,是基本建设管理体制的一项重大变革,是社会主义市场经济发展的客观要求,是提高工程质量、加速工程进度、降低工程投资、提高经济效益的重大举措,也是研究和学习国际上先进的工程建设管理经验的产物。

自1988年国家建设部提出实施建设监理制以来,至今已实行了18年的时间。经过18年的监理实践,工程建设监理工作的理论与方法已基本形成,监理法规体系建设也已基本完善。这为提高工程项目的投资建设效益,保证工程质量起到了强有力的推动作用。

根据《工程建设监理规定》,监理工程师实行注册制度,从业人员须持证(即《监理工程师岗位证书》)上岗。这说明工程建设监理人员只有经过监理业务培训并具备一定的监理知识,才能胜任工程建设监理工作。但是,目前我国工程建设监理市场管理比较混乱,监理单位及监理人员的素质亟待提高。基于此,作者根据多年的工作实践,对工程建设监理工作的基本知识、基本要求做了归纳总结,编写了本书,以期对广大监理人员提高理论和实践水平有所裨益。

要从事监理工作,首先应对我国的监理制度和相关的法律法规有所了解。同时,监理工作中最基础、最主要的内容是"三控、一管、一协调",核心是质量控制。与此相应,本书从结构上分为三部分:第一部分讲解监理基础知识;第二部分介绍工程建设监理的实践,即"三控、一管、一协调",同时介绍一个典型的工程案例,以加深读者对前面理论知识的理解;第三部分提供了我国目前部分与监理有关的法律法规。

本书为作者结合工作实践编写而成,由于学识有限,书中可能存有不妥之处,敬请广大同行及读者指正。

编者

2006 年 5 月

目　录

第三篇　重要法律文件

第一篇　监理基础知识

第一章 监理概论

第一节 概 述

工程建设监理制是工程建设领域的一项重要制度。实施这一制度,可以有效地控制工程建设的工程质量、施工进度和工程投资,高质量地进行工程建设合同管理,及时地协调有关单位的工作关系。

工程建设监理从生产到形成制度,再到今天有了一套较为完善的形式与理论,经历了漫长的发展阶段。

一、监理的起源与发展

工程建设监理的起源最早可以追溯到 16 世纪的欧洲,到目前已经有数百年的发展历史了。

在 16 世纪后期,欧洲大陆兴起了豪宅建筑热潮,工程建设规模越来越大,社会对房屋建筑技术的要求也越来越高。为适应这一形势,传统的建筑业开始分化,建筑师队伍出现了专业分工,设计、施工、监理分工的雏形初步形成。

18 世纪 60 年代,欧洲兴起的产业革命极大地促进了整个欧洲大陆的城市化和产业化的发展进程,并随之带来了建筑业的空前繁荣,相应地要求建立一种新的管理方式来达到工程建设的高质量要求。18世纪 30 年代初期,英国出现了工程承包制。此后,欧洲的很多国家纷纷仿效,以承包方式取代自营方式,形成了业主、工程师、承包商三方相互独立而又相互制约的新格局。此时,监理的业务内容有了很大的扩充,从初期的监督工程质量、替业主计算工程量和验方发展到全面参与工程建设,包括帮助业主编写标书,计算标底,协助评标,控制质量、进度、投资,进行合同管理,协调有关部门的工作等。

20世纪中期以来,出现了许多大型乃至巨型的工程。由于这些工程投资巨大,技术复杂,一旦失误就会造成巨大的损失,这迫使投资者必须重视项目决策阶段的研究,由此产生了项目可行性研究,进一步拓宽了监理的业务范围,使其由项目实施阶段向前延伸到项目决策阶段。这样,建设监理就逐步覆盖了建设活动的全过程。

二、监理的概念

所谓工程建设监理,是指监理单位接受业主(项目法人)的委托和授权,依据国家批准的工程项目建设文件、有关工程建设的法律法规和工程建设监理合同以及其他工程建设合同,对工程建设实施的监督管理。

我们可以从以下六个要点来理解和把握这一概念:

(1)行为对象——工程建设监理是针对工程项目建设所实施的一种特殊的工程建设活动。

(2)行为主体——工程建设监理的行为主体是监理单位;监理单位应当具有相应的资质,行为要公正,关系要独立,是建设市场的三大主体之一。

(3)基本条件——工程建设监理的实施需要业主的委托与授权,业主是推动工程建设监理的动力。

(4)行为依据——工程建设监理应根据工程项目的立项与批准文件、现行的法律法规、工程建设的有关合同等依据来展开。

(5)实施阶段——现阶段的工程建设监理主要发生在项目建设的实施阶段,项目的前期立项工作为咨询。

(6)行为特征——工程建设监理是一种微观的监督活动,它针对具体的工程项目实施具体的合同管理、质量控制、进度控制和投资控制,对建设单位所委托的内容向建设单位负责。

《中华人民共和国建筑法》(以下简称《建筑法》)第三十二条规定:

建筑工程监理应当依照法律、行政法规及有关的技术标准、设计文件和建筑工程承包合同,对承包单位在施工质量、建设工期和建设资金使用等方面,代表建设单位实施监督。

除了建设监理之外,项目管理、总承包管理、造价咨询、招标代理等与建设监理的工作内容或多或少是类似的,但它们不是建设监理,它们所站的角度与建设监理是不同的,工作的重点也不同。但是,从事建设监理的人员能否从事项目管理、总承包管理、招标代理等工作呢? 从理论上讲这是可以的。目前,政府主管部门正在对此问题进行探索和研究。

三、我国工程建设监理的发展阶段

自从 20 世纪 80 年代后期工程建设监理传入我国,在 18 年的发展历程中,我国的工程建设监理经历了以下几个发展阶段:

(1)1988 年以前,我国没有正式的监理制度、监理公司及监理工程师。但是,考虑到在世界银行和亚洲银行贷款的项目中把实施监理作为贷款的先决条件,在这些项目中,我国需据其要求实施监理。因此,此阶段我国仅有很少的监理项目,如鲁布革水电站、西三公路、南昌大桥等工程建设项目。

(2)1988~1992 年为试点阶段。1988 年,适应社会主义市场经济发展的要求,我国开始试行建设监理制,主要是在一些大型电站、高速公路等国家重点工程试行。国家建设部于 1988 年 7 月 25 日发出开展建设监理试点工作的通知,在北京、天津、上海、哈尔滨、南京、宁波、深圳、沈阳、交通部、能源部共八市两部进行监理工作的试点。在此期间,上述的八市两部分别在设计院、研究所和学院的基础上组建了监理公司,并对一些建设项目实施了监理,取得了明显的监理效果。

(3)1993~1995 年为稳步发展阶段。经过数年的试点工作,在国内发展了一批监理公司,培养了一批监理人员,实施了一批工程项目的监理工作,为之后建设监理的发展奠定了基础。但是,前 4 年的试点工作所产生的效应还没有扩展到全国,许多城市还没有成立监理公司,或还没有工程项目实施监理,因此还必须进一步发展试点阶段取得的成果。这一阶段的重点是在全国每一个城市至少成立一个监理公司和至少实施一个工程项目的监理工作,为把建设监理推广到全国打下良好的基础。1995年12月15日,建设部与原国家纪委联合发布《工程建设监理规定》,决定从1996年开始,在我国全面推广工程建设监理制。

(4)1996年至今是全面推广阶段。经过前期的发展,全社会对建设监理的认可程度有了很大的提高,主动委托监理的项目不断增加。同时,监理人员经过多年的探索和实践,逐步建立起一套比较规范的监理工作方法和制度。监理单位作为市场主体之一,与建设单位、承包单位、政府主管部门的关系日益清晰,尤其监理单位与建设单位的责权利关系所形成的委托监理合同内容日益规范。这些都标志着我国的建筑业已日趋成熟,建设法规日趋完善,监理事业已经步入与国际监理全面接轨的新阶段。因此,在全国推行监理制度、实现产业化,使监理制度规范、统一、有效已是势在必行。

第二节 工程建设监理的性质和基本方法

一、工程建设监理的性质

工程建设监理是一种特殊的工程建设活动,是工程建设活动日益复杂并进一步分工的结果,它与其他的工程建设行为既有一定的共性,又有明显的区别。

(一)服务性

工程建设监理是指监理人员在工程项目建设的施工过程中,利用自己的工程建设方面的知识、技能和经验为客户提供高智能建设管理与监督服务,以满足项目业主对项目管理的需要。它所获得的报酬也是技术服务性的报酬,是脑力劳动的报酬。它不同于承建商的直接生产活动,也不同于业主的直接投资行为。

需要明确指出的是,工程建设监理是监理单位接受项目业主的委托而开展的技术服务性活动。它的直接服务对象是客户,是委托方,即项目业主。这种服务性的活动是按工程建设监理合同来进行的,是受法律约束和保护的。在监理合同中明确地对各种服务(工作)进行了分类和界定,哪些是"正常服务(工作)",哪些是"附加服务(工作)",哪些是"额外服务(工作)"。因此,监理单位没有任何合同责任和义务提供直接的工程建设产品的生产。但是,在实现项目总目标上,参与项目建设的三方是一致的,他们要协同合作,以实现工程项目。因此,有许多工作需要监理工程师进行协调、指导、纠正,以便使工程能够顺利地进行。

工程建设监理的服务性使它与政府对工程建设行政性监督管理活动区别开来,也使得它与承建商在工程项目建设中的活动区别开来。

(二)独立性

从事工程建设监理活动的监理单位是直接参与工程项目建设的"三方当事人"之一。它与项目业主、承建商之间的关系是平等的、横向的,在工程项目建设中,监理单位是独立的一方。我国的有关法规明确指出,监理单位按照独立、自主的原则开展工程建设监理工作。国际咨询工程师联合会在它的出版物《业主与咨询工程师标准服务协议书条件》中明确指出,监理单位是作为"一个独立的专业公司受聘于业主去履行服务的一方",应当"根据合同进行工作",他的监理工程师应当"作为一名独立的专业人员进行工作"。同时,国际咨询工程师联合会要求其会员"相对于承包商、制造商、供应商,必须保持其行为的绝对独立性,不得从他们那里接受任何形式的好处,而使他的决定的公正性受到影响或不利于他行使委托人赋予他的职责","不得与任何可能妨碍他作为一个独立的咨询工程师工作的商业活动有关","咨询工程师仅为委托人的合法利益以及维护职业荣誉和名望而工作"。因此,监理单位在履行监理合同义务和开展监理活动的过程中,要建立自己的组织,要确定自己的工作准则,"要运用自己掌握的方法和手段,根据自己的判断,独立地开展工作"。监理单位既要认真、勤奋、竭诚地为委托方服务,协助业主实现预定目标,也要按照公平、独立、自主的原则开展监理工作。

工程建设监理的这种独立性是建设监理制的要求,是监理单位在工程项目建设中的第三方地位所决定的,是它所承担的工程建设监理的基本任务所决定的。因此,独立性是监理单位开展工程建设监理工作的重要原则。

(三)公正性

在工程项目建设中,监理单位和监理工程师应当担任什么角色,以及如何担任这些角色,是从事工程建设监理工作的人们应当认真对待的一个十分重要的问题。监理单位和监理工程师在工程建设过程中,一方面应当作为能够严格履行监理合同各项义务、能够竭诚地为客户服务的"服务方",同时,应当成为"公正的第三方"。也就是说,在提供监理服务的过程中,监理单位和监理工程师应当排除各种干扰因素,以公正的态度对待委托方和被监理方,特别是当业主和被监理方发生利益冲突或矛盾时,能够以事实为依据,以有关法律法规和双方所签订的工程建设合同为准绳,站在第三方的立场上公正地加以解决和处理,做到"公正地证明、决定或行使自己的处理权"。

对工程建设监理和监理单位公正性的要求,首先是建设监理制对工程建设监理进行约束的条件。这是因为,实施建设监理制的基本宗旨是建立适应社会主义市场经济的工程建设新秩序,为开展工程建设创造可靠、协调的环境,为投资者和承包商提供公平竞争的条件。建设监理制的实施,确立了监理单位和监理工程师在工程项目建设中的重要地位。一方面,使项目业主或法人可以摆脱具体项目管理的困扰;另一方面,由于得到专业化监理公司的有力支持,业主与承建商在业务能力上达到一种平衡。为了保持这种平衡状态,首当其冲的是要对监理单位和它的监理工程师制定一些约束条件。公正性要求就是其中最为重要的约束条件之一。

其次,公正性还是工程建设监理正常和顺利开展的基本条件。监理工程师进行目标规划、动态控制、组织协调、合同管理等工作都是为力争在预定目标内实现工程项目建设任务这个总目标任务服务的。但是,仅仅依靠监理单位而没有设计、施工、材料和设备供应单位的配合是不能完成这个任务的。监理的成败在很大程度上取决于能否与承建单位以及与项目业主进行良好合作、相互配合、互相支持。而这一切都需要以监理是否具有公证性作为基础。

再次,工程建设监理的公正性也是承建商的共同要求。由于建设监理制赋予监理单位在项目建设中具有一定的监督管理的权力,被监理方必须接受监理方的监督管理。因此,被监理方迫切要求监理单位能够办事公道,公正地开展工程建设监理活动。

公正性是监理行业的必需要求,是社会公认的职业准则,也是监理单位和监理工程师的基本职业道德准则。

(四)科学性

《工程建设监理规定》明确指出,工程建设监理是一种高智能的技术服务,从事工程建设监理活动应当遵循科学的准则。

工程建设监理的科学性是由承建单位的社会化、专业化特点决定的。承担设计、施工、材料和设备供应而且社会化、专业化的承建单位,它们往往在技术管理方面已经达到了一定水平。这就要求监理单位和监理工程师应当具有更高的素质和水平。因为只有如此,他们才能实施有效的监督管理。因此,监理单位应当按照高智能、智力密集型进行组建。

工程建设监理的科学性是由它的技术服务性质决定的。工程项目总是处于动态的外部环境包围之中,无时无刻都有被干扰的可能。因此,工程建设监理要适应千变万化的项目外部环境,要抵御来自它的干扰,这就要求监理工程师既要有丰富的工程经验,又要具备适当的应变能力,要进行创造性的工作。

工程建设监理的科学性是由它的维护社会公共利益和国家利益的特殊使命决定的。在开展监理工作的过程中,监理工程师要把维护社会最高利益作为自己的天职。这是因为,工程项目建设牵扯到国计民生,维系着人民的生命和财产的安全,涉及到公众的利益。因此,监理单位和监理工程师需要以科学的态度,用科学的方法来完成这项工作。

按照工程建设监理科学性要求,监理单位应当拥有足够数量的、业务素质合格的监理工程师,要有一套行之有效的、科学的管理制度,要配备有关的计算机辅助监理软件和硬件,要掌握先进的监理理论、方法,积累足够的经验、技术、经济资料和数据,要拥有现代化的监理手段。

二、工程建设监理的基本方法

工程建设监理的基本方法是一个大系统,它由不可分割的若干个子系统组成。这就是目标规划、动态控制、组织协调、信息管理、合同管理,它们相互联系,互相支持,共同运行,形成一个完整的方法体系。

(一)目标规划

这里所说的目标规划是以实现目标控制为目的的规划和计划,它是围绕工程项目投资、进度和质量目标进行研究确定、分解综合、安排计划、风险管理、制定措施等各项工作的集合。目标规划是目标控制的基础和前提,只有做好目标规划的各项工作才能有效地实施目标控制。目标规划制定得越好,目标控制的基础就越稳妥,目标控制的前提条件也就越充分。

目标规划工作包括正确地确定投资、进度、质量目标或对已经初步确定的目标进行论证,按照目标控制的需要将各目标进行分解,使每个目标都形成一个既能分解又能综合的、满足控制要求的目标划分体系,以便实施控制,把工程项目实施的过程、目标和活动编制成计划,用动态的计划系统来协调和规范工程项目的实施,为实现预期目标构筑一座桥梁,使项目协调有序地达到预期目标;对计划目标的实现进行风险分析和管理,以便采取有效措施,力保项目目标的实现。

(二)动态控制

动态控制是开展工程建设监理活动时采用的基本方法。动态控制工作贯穿于整个工程项目的监理过程中。

所谓动态控制,就是指在完成工程项目的过程中,通过对过程、目标和活动的跟踪,全面、及时、准确地掌握工程建设信息,将实际目标值和工程建设状况与计划目标值和状况进行对比,如果偏离了计划和标准的要求,就采取措施加以纠正,以便实现计划总目标。这是一个不断循环的过程,直至项目建成交付使用。

(三)组织协调

组织协调与目标控制是密不可分的,组织协调的目的就是为了实现目标。组织协调包括项目监理组织内部的人与人、机构与机构之间的协调。组织协调还存在于项目监理组织与外部环境组织之间,其中主要是与项目业主、设计单位、施工单位、材料和设备供应单位,以及与政府有关部门、社会团体、咨询单位、科学研究、工程毗邻单位之间的协调。协调的问题集中在他们的结合部位上,组织协调就是在这些结合部位上做好协调、联合和联结的工作,以使大家在实现工程项目总目标上做到步调一致,达到运行一体化。

为了开展好工程建设监理工作,要求项目监理组织内部的所有监理人员都能采用科学有效的方法,主动地在自己负责的范围内进行协调。为了搞好组织协调工作,需要对经常性事项的协调加以程序化,事先确定协调内容、协调方式和具体的协调流程;需要经常通过监理组织系统和项目组织系统,利用权责体系,采取指令等方式进行协调,需要设置专门机构或专人进行协调,需要召开各种类型的会议进行协调。只有这样,项目系统内各子系统、各专业、各工种、各项资源以及时间、空间等方面才能充分实现有机的配合,使工程项目成为一体化进行的整体。

(四)信息管理

工程建设监理离不开工程信息管理。在实施监理的过程中,监理工程师要对所需要的信息进行收集、整理、处理、存储、传递、应用等一系列工作,这些工作总称为信息管理。

信息管理对工程建设监理是十分重要的。监理工程师在开展监理工作当中要不断地预测或发现问题,要不断地进行规划、决策、执行和检查,而要做好每一项工作都离不开相应的信息——规划需要规划信息、决策需要决策信息、执行需要执行信息、检查需要检查信息。

项目监理组织的各部门为完成监理任务需要哪些信息,完全取决于这些部门的实际工作的需要。因此,对信息的要求是与各部门监理任务和工作直接相联系的。不同的项目,由于情况不同,所需要的信息的种类和数量也就有所不同。例如,当采用不同承包模式或不同的合同方式时,监理需要的信息种类和信息数量也就会发生变化。对于固定总价合同,可能关于进度款和变更通知的信息是主要的;对于成本加酬金合同,则必须有关于人力、设备、材料、管理费用和变更通知等多方面的信息;而对于固定单价合同,完成工程量方面的信息则是最重要的。

控制与多方面因素发生联系。诸如设计变更、计划改变、进度报告、费用报告、变更通知等都是通过信息传递将它们与控制部门联系起来的。监理的控制部门必须随时掌握项目实施工程中的反馈信息,以便在必要时采取纠正措施。例如,当材料供应推迟、或者设备或管理费用增加、或者承包单位不能满足规定的工期要求时,都有可能修改工程计划。而修改的工程计划又以变更通知的形式传递给有关方,然后对相关要素采取措施,才能起到控制的作用。可见,控制把工程项目的各个要素联系起来,每个要素必须通过适当的信息流通渠道与控制功能发生联系。

(五)合同管理

监理单位在工程建设监理工程中的合同管理,主要是根据监理合同的要求对工程承包合同的签订、履行、变更和解除进行监督、检查,对合同双方产生的争议进行调节和处理,以保证合同的依法签订和全面履行。

合同管理对于监理单位完成监理任务是非常重要的。根据国外的经验,合同管理产生的经济效益往往大于技术优化所产生的经济效益。一项工程合同,应当对参与建设项目的各方建设行为起到控制作用。例如,按照FIDIC《土木工程施工合同条件》实施的工程,通过相关条款,详细而连续地列出了在项目实施过程中所遇到的各方面的问题,并规定了合同各方在遇到这些问题时的权利和义务,同时还规定了监理工程师在处理各种问题时的权限和职责。在工程实施过程中经常发生的有关设备、材料、开工、停工、延误、变更、风险、索赔、支付、争议、违约等问题,以及财务管理、工程进度管理、工程质量管理诸方面工作,这个合同条款都涉及了。

下面,对监理工程师在合同管理中应当着重的几个方面的工作作一简要阐述。

(1)合同分析。它是指对合同中的各类条款进行分门别类的认真研究和解释,并找出合同的缺陷和弱点,以发现和提出需要解决的问题。同时,更为重要的是,对引起合同变化的事件进行分析研究,以便采取相应的措施。合同分析对于促进合同各方履行义务和正确行使合同赋予的权利监督工程的实施和合同争议的解决,以及预防索赔和处理索赔等工作都是十分必要的。

(2)建立合同目录、编码和档案。合同目录和编码是采用图表的方式进行合同管理的很好工具,它为合同管理自动化提供了便利条件,使计算机辅助合同管理成为可能。合同档案的建立可以把合同条款分门别类地加以存放,对于查询、检索合同条款,也为分解和综合合同条款提供了方便。合同资料的管理应当起到为合同管理提供整体性服务的作用。它不仅要起到存放和查找的简单作用,还应当进行高层次的服务。例如,采用科学的方式将有关的合同程序和数据指示出来。

(3)合同履行的监督、检查。这是指通过检查发现合同执行中存在的问题,并根据法律法规和合同的约定加以解决,以提高合同的履约率,使工程项目能够顺利地建成。合同监督还包括经常性地对合同条款进行解释,常念"合同经",以促使承包方能够严格按照合同要求实现工程进度、工程质量和费用请求。按合同的有关条款作出工作流程图、质量检查关系图和系统关系图等,可以帮助有效地进行合同监督。合同监督需要经常检查双方往来的文件、信函、记录、业主指示等,以确认它们是否符合合同的要求,并确定它们对合同的影响,以便采取相应对策。根据合同监督、检查所获得的信息进行统计分析,以发现费用金额、履约率、违约原因、纠纷数量、变更情况等问题,向有关监理部门提供情况,为目标控制和信息管理服务。

(4)索赔。索赔既是合同管理中的重要工作,又是关系合同双方切身利益的问题,同时牵扯监理单位的目标控制工作,是参与项目建设的各方都关注的事情。监理单位应当首先协助业主制定并采取防止索赔的措施,以便最大限度地减小无理索赔的数量和索赔影响量。其次,要处理好索赔事件。对于索赔,监理工程师应当以公正的态度对待,同时按照事先规定的索赔程序做好处理索赔的工作。

合同管理直接关系着投资控制、进度控制、质量控制,是工程建设监理工作中不可分割的组成部分。

第三节　实施工程建设监理的目的和意义

一、实施工程建设监理的目的

工程建设监理的目的是：在正确的监理思想指导下，通过监理工程师谨慎而勤奋的工作，力求在计划的投资、进度和质量目标内实现所监理的项目目标。

二、实施工程建设监理的意义

我国在建设领域实施建设监理制度意义重大。10余年来的监理实践证明，实施工程建设监理制度，确实能起到控制项目投资、进度和质量的作用，极大地改变了我国过去项目建设管理存在的"投资无底洞、工期马拉松、质量没保证"的状况。例如，投资25.3亿元的上海地铁工程，监理人员和管理人员仅400人，较之传统的管理方式减少了约500人。30万吨乙烯工程建设用传统的管理方式，管理人员在千人以上，有的达到2 000人；而茂名30万吨乙烯工程实施建设监理，监理人员加管理人员仅480人，仅人员一项便可节约建设管理费和一次性生活安置费约4亿元。首都机场监理费为600万元，节约工程款3 179万元，其投入产出比为1:5。在项目进度控制方面，以水电工程为例，我国实施建设监理制的水电工程，工期一般都缩短1年以上。岩滩水电站工程实施建设监理，除节约资金上亿元外，提前1年截流，提前9个月发电，增加经济收入上亿元。从质量控制角度看，实施工程建设监理制度的成效也很显著。如实施建设监理的水电工程，优良率均在80%左右。上海杨浦、南浦大桥实施建设监理，分项工程优良率达到98%。此外，实施建设监理制，还节省了聘请外国监理人员监理所需的大量费用。以上海国际贸易中心工程为例，若聘请日本监理人员监理，监理费需要约300万美元，而实际上由我国监理单位自行实施监理，监理费仅为15万美元。

第四节　工程建设监理的前景

一、入世后的中国工程监理

加入世界贸易组织这一重大事件,给中国建设监理事业带来很大的影响。在国门已经敞开的同时,我国对包括工程监理行业在内的十大领域将逐步取消或放宽对外商投资的限制。对此变化之利弊,我国的监理公司和监理工程师必须有清醒的认识。

(一)有利的方面

加入世界贸易组织后,中国经济和世界经济正在逐步地融为一体,中国建设监理界同国外同行的联系也在进一步加强。一方面,中国监理单位和监理工程师同国外的监理单位和监理工程师的接触中,相互合作的机会大大增加,包括采用合作监理、成立合资公司等方式。通过这些合作,迅速地提高了中国建设监理事业的水平,进而促进了中国建设监理事业的发展。另一方面,随着中国经济和世界经济的紧密结合,也为中国监理单位和监理工程师走出国门,承揽国外建设监理业务提供了良机。

(二)不利的方面

加入世界贸易组织后,国外监理公司挟管理、技术、人才、资金等优势逐步进入中国建设监理市场。这种进入不仅会使本已竞争十分激烈的国内建设监理市场竞争更加激烈,而且可能会使一些中小型监理公司遭遇灭顶之灾。自然,也会使一些业务水平不高的监理工程师淡出监理行业。

二、今后的任务和方向

在"后入世"时代,面对机遇与挑战,国内的监理单位和监理工程师必须清醒地认识到,工程建设监理事业在我国才起步十几年,同国外相比,我们还处在学生阶段。例如,对国际通行的合同条款和监理惯例,国外许多监理公司已有上百年的经验积累。相对于此,尽管我们在近十几年监理实践中接触了许多涉外工程,熟悉了许多国际惯例,积累了一定的经验,但存在的差距还是很大的。在迎接中国加入世界贸易组织后的挑战时,监理单位和监理工程师必须正视这一现实,才能有的放矢,找到有效的应对措施。

如何才能在"入世"大潮中立于不败之地,笔者结合自身在工作中的经验、教训,认为正确的应对措施应当包括下面三个方面。

(一)加强管理,练好内功,尽快提高自身素质

要想在未来激烈的市场竞争中生存和发展,监理单位最重要的应战措施是加强管理,练好内功,尽快提高自身素质。

在加强管理的过程中,应注意按现代企业制度办事,特别是采用改制等手段建立明晰的产权关系,以便为监理工作打下坚实的基础。我国许多监理单位都是依托国有单位(如设计院、科研所、高等院校、政府机关部门等)而成立的,存在着产权不明确的问题。如有的监理单位在成立时是以向其主管部门借款方式成立的,有的是作为国有单位的二级机构成立的。一方面,这些监理单位以不承担财务费用或承担很低财务费用的国有资产开展经营工作,同严格按公司法成立的监理单位之间存在着不公平竞争的问题;另一方面,负有主要经营责任的管理人员和技术骨干并不持有公司股份,经营者收入高低并没有同监理单位的效益直接挂钩,从而制约了这些公司的进一步发展,急需改制工作,即按现代企业制度的要求,建立明晰的产权关系。可喜的是,近年来这项工作的开展将从根本上使监理单位符合现代企业制度的良性运行机制,必然会提高监理单位的活力和实力,增强应对中国加入世界贸易组织后进入我国监理市场的外国监理单位的竞争力,并不断发展壮大。

目前,国内建设监理单位一般规模较小,无论是办公、通讯、检测、设备设施,还是监理人员配备,很少有形成规模化经营的。在这种情况下,基本上没有规模效益,在市场上的竞争力很弱,只能靠低价竞争而惨淡经营,进而形成恶性循环,很难形成竞争优势。在目前我国已加入世界贸易组织数年之后,仍很难有力量同国外监理单位进行竞争,如我国甲级监理单位的注册资本金一般为一百多万人民币,财力非常有限,从而使许多监理单位都存在着"三愁"状况,即"没有任务愁任务,有了任务愁没人,有了人愁做不好"。这种状况如不改变,是不可能同挟管理、技术、人才、资金等众多优势进入中国监理市场的外国监理企业进行竞争的。因此,监理单位应走规模化经营的道路,比如,通过联合、兼并、参股等方式,扩大规模,提高竞争力。

(二)熟悉国际惯例

中国进入世界贸易组织后,社会、生活等方方面面正在逐步和国际惯例接轨,监理工作自然也要和国际惯例接轨。因此,监理单位应熟悉国际惯例,包括合同条件、项目管理方法和手段等。

以监理单位的管理工作为例。建立一套科学的质量管理体系以保证向项目法人提供优质的监理服务,是每一个监理单位都面临的管理问题。如何建立符合国际惯例的质量保证体系,其前提之一就是监理单位必须熟悉国际惯例。FIDIC 于 1991 年发布的《工程咨询业质量管理指南》及 1997 年发布的《工程咨询业应用 ISO9001:1997 标准解释和应用指南》,均是监理单位建立质量管理体系需要吸收的内容。根据这些文件,监理单位的质量管理系统的定义应是:针对项目人明确或隐含的要求,运用公司的资源(知识和技能),通过计划—工作—检查—行动,形成一个包括采取质量控制和质量保证措施的、全员参加的、不断改进的循环过程。

(三)培养现代化的监理工程师队伍

除常规的监理知识外,现代化的监理工程师还必须掌握某种甚至某几种外语和计算机知识,能熟练地运用外语和计算机进行监理工作。

我国加入世界贸易组织后,建筑市场进一步开放,许多发达国家的工程承包商大量进入我国建筑市场。监理国外承包商承包的工程,势必对监理工程师提出更高的要求。如果监理工程师对外语一窍不通,自然也就很难同外国承包商顺利沟通。因此,监理单位应注重提高自己队伍的素质,培养他们现代的科技知识和工作技能,以适应新形势的需要。

第二章　社会监理组织与管理

第一节　强制监理

对于我国的重点建设项目、基础设施项目、外国政府或机构贷款项目等,我国的法律法规(如《建筑法》、《建设工程质量管理条例》等)规定应强制实行监理。实行强制监理,一方面可保证这些建设项目的建设效果,使建设项目能够按照既定的目标进行;另一方面也可推动我国现阶段的监理工作。

1995 年 12 月 15 日国家建设部发布的《工程建设监理规定》中规定,四个方面的工程建设项目必须实行监理,但是规定得不是非常明确,操作起来难度较大。为了进一步明确强制监理的范围,建设部于2001 年 1 月 17 日发布了第 86 号令,即《建设工程监理范围和规模标准的规定》。

下面,结合国家相应的法律法规,从强制监理的范围和内容两方面予以详细说明。

一、强制监理的范围

(一)国家重点建设工程项目

所谓国家重点建设工程项目,是指依据《国家重点建设项目管理办法》所确定的对国民经济和社会发展有重大影响的骨干项目。

(二)大中型公用事业项目

所谓大中型公用事业项目,是指项目总投资在 3 000 万以上的下列工程项目:

(1)供水、供电、供气、供热等市政工程项目;

(2)科技、教育、文化等项目;

(3)体育、旅游、商业等项目；

(4)卫生、社会福利等项目；

(5)其他公用事业项目。

(三)成片开发建设的住宅小区工程项目

建筑面积在 5 万 m² 以上的小区必须实行监理；小于 5 万 m² 的小区是否实行监理，由各省、自治区、直辖市人民政府建设行政主管部门确定。此外，对高层住宅及地基、结构复杂的多层住宅应当实行监理。

(四)利用外国政府或者国际组织贷款、援助资金的项目

(1)使用世界银行、亚洲开发银行等国际组织贷款资金的项目；

(2)使用国外政府及其机构贷款资金的项目；

(3)使用国际组织或国外政府援助资金的项目。

(五)国家规定必须实行监理的其他项目

(1)项目总投资额在 3 000 万元以上关系社会公共利益、公众安全的下列基础设施项目：

a.煤炭、石油、化工、天然气、电力、新能源项目；

b.铁路、公路、管道、水运、民航以及其他交通运输业项目；

c.邮政、电信枢纽、通信、信息网络等项目；

d.防洪灌溉、排涝、发电、引(供)水、滩涂治理、水资源保护、水土保持等水利项目；

e.道路、桥梁、地铁和轻轨交通、污水排放及处理、垃圾处理、地下管道、公共停车场等城市基础设施项目；

f.生态环境保护项目；

g.其他基础设施项目。

(2)学校、影剧院、体育场馆项目。

二、强制监理的内容

施工阶段的质量进度和造价应全面委托给监理单位监理，这是因为一个项目的质量、进度和投资是密切相关的。如果只委托一个方面的监理工作，势必造成监理人员只顾其中的一个方面而不顾其他。如果分别把项目的三个方面委托给不同的监理单位，一方面，不同的监理单位管理同一个项目,不可避免地会发生各种矛盾,被监理单位会收到不同指令来源的各种指令,这些指令也不可避免地发生冲突;另一方面,如果没有一个单位综合地考虑工程建设的综合效益,监理工作的效果将会很差。

现行的监理规范规定:"建设单位应委托监理单位对建设工程质量、造价、进度等方面进行全面控制和管理。"之所以做出这样的规定,主要是基于以下三点考虑:

第一,从监理工作的责任和特点来看,监理工作的基本特征是咨询和管理。根据管理学的最基本的原理,管理者的权力和责任必须平衡,需要一定的权力方能实施有效的管理。

第二,从目前监理工作的现状来看,在我国的市场经济发展的初期,由于受利益驱动,不少承包单位过于追求经济效益,忽视质量管理。单纯实施质量监理,很难取得好的监理效果。因此,监理机构需要拥有确定工程造价的权力,以使工程的质量控制和工程造价管理能够有机地结合起来。

第三,从系统理论的思想来看,工程的质量、工期和投资(在施工阶段称为造价)是工程中相互对立又相互联系的三个重要方面或三大目标。要使工程项目能够按照预定目标顺利建成使用,必须进行综合的控制和管理。强行将这几个方面隔离开来进行控制或管理,将会带来混乱,同时也将造成过多的协调工作量。

从施工监理的阶段来看,由于监理制度在我国实施的时间还不长,对监理工作很多方面的服务范围仍然存在一些认识上的差异,除了施工阶段的监理工作已经比较成熟外,其他方面的监理服务尚在试行和发展之中。综合以上考虑,目前的监理规范将基本的监理工作内容确定为施工阶段合同管理和协调工作,以及施工质量控制、施工进度控制、施工投资控制(也称施工造价控制)。

第二节　监理单位

监理单位是建筑市场的主体之一,其实施的建设监理是一种高智能的有偿的技术服务。

一、监理单位的资质与管理

工程监理企业应当按照其拥有的注册资本、专业技术人员和工程监理业绩等资质条件申请资质。经审查合格,取得相应等级资质证书后,方可在其资质等级许可的范围内从事工程监理活动。

监理单位中的监理人员的素质、专业配套能力、技术装备、监理经历和管理水平等因素决定了该单位的监理能力和监理效果,而监理能力和监理效果决定了该监理单位的资质。

按照我国现行规定,监理单位的资质分为甲、乙、丙三个等级,并按照工程性质和技术特点划分为若干工程类别。甲级工程监理单位可以监理经核定的工程类别中一等、二等、三等工程;乙级工程监理单位可以监理经核定的工程类别中二等、三等工程;丙级工程监理单位可以监理经核定的工程类别中的三等工程。具体内容参见《工程监理单位资质管理规定》及《工程监理企业资质等级的条件》。需要特别说明的是,除此规定之外,国务院其他部委也出台了许多在该部门内有效的监理单位资质管理办法。对监理单位而言,要在这些部门范围内承担监理任务,一般还要在这些部门重新办理工程监理资质证书。

我国建设监理单位资质管理体制的基本原则是分级管理,统分结合。总的来说,我国的监理单位资质管理分中央和地方两个层次。在中央,由国家建设行政主管部门负责;在地方,由各地方建设行政主管部门归口管理。国务院其他专业部门分管本部门直属的监理单位的资质。

二、监理单位的经营活动基本准则

监理单位应按照公平、独立、自主的原则,开展工程建设监理工作,公平地维护项目法人和被监理单位的合法权益。

监理单位经营活动的基本准则可用八个字来概括,即守法、诚信、公正、科学。

守法,即只能在核定的业务范围内开展活动,不得伪造、涂改、出租、出借、转让、出卖《资质等级证书》，认真履行监理合同，遵守法律、法规的规定等。

诚信，就是忠诚老实，讲信用。监理单位向业主、向社会提供的是技术服务，是看不见、摸不着的无形产品，尽管它最终由建筑产品体现出来。但是，如果监理单位提供的技术服务有问题，就会造成不可挽回的损失。何况，技术服务水平的高低弹性很大。例如，对工程建设投资或质量的控制，都涉及到工程建设的各个环节的各个方面。一个高水平的监理单位可以运用自己的高智能，最大限度地把投资控制和质量控制搞好；也可以以低水准的要求，把工作做得勉强能交代过去。显然，后面的做法就是不诚信。接受业主的委托，具有较高水平的监理能力，却没有为业主提供与监理水平相适应的技术服务；或者本来就没有较高的监理能力，却在竞争承揽监理业务时，有意夸大自己的能力；或者借故不认真履行监理合同约定的义务和职责等，都是不讲诚信的行为。

公正，主要是指监理单位在处理业主与承建商之间的矛盾和纠纷时，要做到"一碗水端平"；是谁的责任，就由谁来承担；该维护谁的权益，就维护谁的权益。监理单位决不能因为监理工作是受业主的委托，就偏袒业主。

科学，是指监理单位的监理活动要依据科学的方案，要运用科学的手段，要采用科学的方法。

三、监理单位的经营内容

目前，在我国监理实践活动中，监理单位的经营内容包括工程设计阶段监理和工程施工阶段监理，尤其以施工阶段监理为实施监理工作的重点。

（一）工程设计阶段监理

在进行工程设计之前，一般要进行工程勘察。我国工程实践中通常是把勘察和设计分开来签订合同，但也有把勘察工作交由设计单位委托进行，业主与设计单位签订工程勘察设计合同的。在工程勘察设计阶段，监理的主要任务包括：

(1)编制工程设计勘察招标文件。

(2)协助业主审查和评选工程勘察设计方案。

(3)协助业主选择勘察设计单位。

(4)协助业主签订勘察设计合同。

(5)监督管理勘察设计合同的实施。

(6)核查工程设计概算和施工图预算,验收工程设计文件。

(二)工程施工阶段监理

这里所说的工程施工阶段监理包括施工招标阶段的监理、施工监理和竣工后工程保修阶段的监理。

工程施工是工程建设最终的实施阶段,是形成建筑产品的最后一步。由于施工阶段各方面工作的好坏对建筑产品优劣的影响是难以更改的,所以这一阶段的监理工作至关重要。

施工阶段监理的内容包括:

(1)编制工程施工招标文件。

(2)核查施工图设计、工程施工图预算和标底。当工程总承包单位承担施工图设计时,监理单位更要投入较大的精力搞好施工图设计审查和施工图预算审查工作。另外,招标标底包括在招标文件当中,但有的业主另行委托编制标底,对此监理单位要重新审查。

(3)协助业主组织投标、开标、评标活动,向业主提出中标单位建议。

(4)协助业主与工程施工单位签订施工合同。

(5)协助业主与承建商编写开工申请报告。

(6)查看工程项目建设现场,向承建商办理移交手续。

(7)审查、确认承建商选择的分包单位。

(8)制定施工总体规划,审查承建商的施工组织设计和施工建设方案,提出修改意见,下达单位施工开工令。

(9)审查承建商提出的建筑材料、建筑物匹配件和设备的采购清单。工业工程的业主往往为了满足连续施工的需求,在选定承建商之前就开始订货。

(10)检查工程使用的材料、构件、设备的规格和质量。

(11)检查施工建设措施和安全防护设施。

(12)主持协商业主或设计单位、或施工单位、或监理单位本方提出的设计变更。

(13)监督管理工程施工合同的履行,主持协商合同条款的变更,调解合同双方的处理索赔事项。

(14)核查完成的工程量,验收分项、分部工程,签署工程付款凭证。

(15)督促施工单位整理施工文件的归档准备工作。

(16)参与工程竣工预验收,并签署监理意见。

(17)检查工程结算。

(18)向业主提交监理档案资料。

(19)编写竣工验收申请报告。

(20)在规定的工程质量保修期限内,负责检查工程质量状况,组织鉴定工程质量问题责任,督促责任单位维修。

(三)咨询服务

监理单位除承担工程建设监理方面的业务之外,还可以承担工程建设方面的咨询业务。属于工程建设方面的咨询业务有:

(1)工程建设投资风险分析。

(2)工程建设立项评估。

(3)编制工程建设项目可行性报告。

(4)编制工程施工招标标底。

(5)编制工程建设各种估算。

(6)各类建(构)筑物的技术检测、质量鉴定。

(7)有关工程建设的其他专项技术咨询服务。

四、监理单位承揽监理任务

作为市场经济社会的企业,监理单位必须承揽一定数量的监理任务才能在市场中生存和发展下去。对每一个监理单位而言,都必须有市场经营观念,面向市场求得发展。

2000年1月1日开始实施的《中华人民共和国招标投标法》第三条明确规定:在中华人民共和国境内进行下列工程建设项目,包括项目的勘察、设计、施工、监理以及与工程有关的重要设备、材料等的采购，必须进行招标：

(1)大型基础设施、公用事业等关系社会公共利益、公众安全的项目。

(2)全部或者部分使用国有资金投资或者国家融资的项目。

(3)使用国际组织或者外国政府贷款、援助资金的项目。

前款所列项目的具体范围和规模标准，由国务院发展计划部门会同国务院有关部门制定，报国务院批准。

从以上规定可以看出，监理单位在建筑市场上承揽监理业务，主要是靠投标方式获得的。

五、监理单位与有关部门的关系

施工监理的组织与管理主要包括监理单位与工程建设各有关单位的关系协调、施工现场的组织机构和人员配备、施工监理工作实施细则等内容。

在工程施工阶段，监理单位必须接受政府有关业务部门的检查和监督，配合其工作。在施工现场，特别要处理好与建设单位、施工单位和设计单位等的关系，协调好与上述单位之间的关系。这些工作直接影响到能否顺利地实施施工监理工作。

(一)与建设单位之间的关系

依据监理合同，建设单位与监理单位之间是委托和被委托的合同关系。监理单位在建设单位所授权限的范围内独立开展监理工作，处理有关工程监理事宜。遇有涉及工期、费用等重大质量或技术问题时，监理单位应及时报告建设单位，由其会同有关方面作出决策后再由监理单位出面处理。

建设单位在施工现场发现涉及质量等工程问题时，应及时向监理单位提出，由监理单位组织有关人员研究解决。建设单位对施工质量等问题的处理意见，通过监理单位派驻现场的代表向施工单位提出，并督促其实施。

(二)与施工承包单位之间的关系

监理单位与施工单位之间是监理与被监理的关系。施工单位必须接受监理单位的监理,并按监理单位的要求提供必需的文件、资料和完整的原始记录、检测报告,建设单位将监理合同副本及授予监理单位的权限范围以书面方式通知施工单位,监理单位也应将《监理工作实施细则》、《工程监理工作大纲》及总监理师授予各专业监理工程师和监理人员处理监理事务的权限等以书面方式通知施工单位。

(三)与设计单位之间的关系

设计文件包括图纸、技术说明、设计变更通知等,是监理单位实施监理工作的依据。监理单位应全面贯彻设计意图,严格监理施工单位按图施工。凡对设计图纸有疑问、建议或由于地质情况、施工现场环境条件等的变化需要变更设计时,均由设计单位作出修改,监理单位无权变更设计。

设计单位在现场发现施工质量等技术问题时,应向监理单位提出,由监理单位出面处理解决。

监理单位与各有关单位的关系如图 2-1 所示。

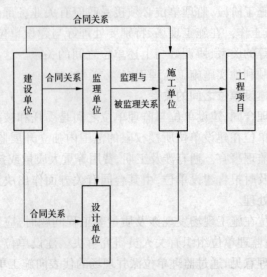

图 2-1 监理单位与各有关单位的关系

六、工程建设监理服务费用与监理合同

(一)工程建设监理服务费用

从建设单位的立场看,为了使监理单位能顺利地完成任务,达到自己所提出的要求,必须付给他们适当的报酬,用以补偿监理单位在完成任务时的支出(包括合理的劳务费用支出以及需要缴纳的税金),这也是委托方的义务。工程建设监理费根据委托监理业务的范围、深度和工程的性质、规模、难易程度以及工作条件等情况计收。工程建设监理是有偿服务活动,监理单位应当与建设单位确定监理费用,并写入监理委托合同中。监理费用的构成是指监理单位在监理中所需要的全部成本(包括直接成本和间接成本),再加上合理的利润和税金。

1. 直接成本

(1)计时工资(包括同工资总额有关的费用)。

(2)可确定的专项开支,如差旅费、住宿费、电话费、印刷费、邮资、补助、计算机及其他使用费等。

(3)所需的外部服务支出等。

2. 间接成本

间接成本包括日常管理费和劳务费,包括工资、维修费、折旧费等。

监理费用的计算方法,一般由建设单位和监理单位协商确定。在国外,建设监理制经过了较长的发展过程,监理费的计算方法逐步定型。常用的有以下几种方法。

(1)按时计算法。根据合同项目直接使用的时间(计算单位可为小时、工作日或月)补偿费再加上一定补贴来决定监理费用多少。

(2)工资加一定比例的其他费用。即建设单位支付直接参加项目监理的工作人员的实际工资加上一个百分比。该百分比实际包括了间接成本和利润。

(3)建设成本百分比的计算方法。以建设成本的一定比例来计算。一般情况是工程规模越大,建设成本越高,监理取费所占的比例越小。通常可用估计工程费作为计算监理费的基础,也可按实际工程费作为

计算基础。有些情况下,因监理工程师提出合理化建议,使得实际使用工程费用降低,从而为业主节约了较多的投资,业主应视情况对监理工程师给予适当奖励。

(4)监理成本加固定费用计算方法。监理成本内容变化大,由多项费用组成。固定费用主要包括监理单位的利润、收入所得税、投资所得的利润、风险经营的补偿以及不包括在监理成本中的其他工资、管理和消耗的费用。附加固定费用数量是在建设项目成本确定以后双方协商的。

(5)固定价格计算方法。该法特别适用于小型或中等规模的工程项目。当监理单位在承接一项能够明确规定服务内容的业务时可采用:一是确定工作内容,以一笔总价一揽子包死,工作量有所增减,一般也不调整报酬总额;二是按确定的工作内容分别确定不同项目的价格,据以计算报酬总额。

实际工作中,具体采用以上几种方法中的哪种,由建设单位和监理单位协商确定。

3.利润、税金

监理单位通过监理工作要获取利润并依法纳税,这也涉及监理费用的成本。

需要注意的是,在监理竞争中,监理单位服务报价含有较大差别,其原因是:

(1)经营的成本不同。比如地区差价,小城市成本低于大城市;有些是新单位成本略高;有些大单位设备精良,成本、效率都高。

(2)各监理单位对服务的难易程度理解不同。比如对所需要的工作条件和所含风险的理解不同、采用的工作方法不一样等。

(3)监理经验不同。

(4)监理单位的地位和形象不同。比较成熟、组织良好的监理单位在其业务领域中享受较高声誉,自然吸引力强,当然取费也高。

1992年,国家物价局、建设部发布了关于工程建设监理费有关规定的通知,详细作出了对工程建设监理费的规定,见表2-1。

表 2-1　工程建设监理收费标准

序号	工程概(预)算 M (万元)	设计阶段(含设计招标)监理取费 a(%)	施工(含施工招标)及保修阶段监理取费 b(%)
1	M<500	0.20<a	2.50<b
2	500≤M<1 000	0.15<a≤0.20	2.00<b≤2.50
3	1 000≤M<5 000	0.10<a≤0.15	1.40<b≤2.00
4	5 000≤M<10 000	0.08<a≤0.10	1.20<b≤1.40
5	10 000≤M<50 000	0.05<a≤0.08	0.80<b≤1.20
6	50 000≤M<100 000	0.03<a≤0.05	0.60<b≤0.80
7	100 000≤M	a≤0.03	b≤0.60

(二)监理合同

监理单位应按现行的《中华人民共和国合同法》的规定,同项目法人签订监理合同。监理合同一般应采用标准文本,目前较流行的标准文本有:

(1)建设部和国家工商行政管理局于 2000 年 2 月发布的《建设工程委托监理合同(示范文本)》(GF—2000-02),原来的《工程建设监理合同(示范文本)》(GF—95-0202)已作废。现行文本主要适用于国内工程。

(2)FIDIC1990 版的《业主/咨询工程师标准服务协议书》。该文本主要适用于世界银行贷款项目等涉外工程。

实施监理的建筑工程,由建设单位委托具有相应资质条件的监理单位实施监理。双方应当订立书面委托监理合同。监理合同的主要条款包括监理的范围和内容、双方的权利与义务、监理费的计取与支付、违约责任、双方约定的其他事项。

工程监理单位依照法律、行政法规及有关的技术标准、设计文件和建筑工程承包合同,对承建单位在施工质量、建设工期和建设资金使用等方面,代表建设单位实施监督。工程监理人员认为工程不符合工程设计要求、施工技术标准和合同约定的,有权要求建筑施工单位改正;发现工程设计不符合建筑工程质量标准或者合同约定的质量要求的,应当报告建设单位要求设计改正。

第三节 监理工程师

要注册成立监理单位,必须有一定数量的、业务素质合格的监理工程师。另外,已成立的监理单位要在市场中求得生存和发展,就必须承揽一定的监理业务,而承揽和完成建设监理业务,也必须有一定数量合格的监理工程师。

作为监理活动中的人的因素,监理工程师在监理实践中起着举足轻重的作用。下面,从多方面对监理工程师作一阐述。

一、监理工程师和总监理工程师

(一)监理工程师

所谓监理工程师,是指在工程建设监理岗位上工作,并经全国统一考试合格,又经政府注册的监理人员。从上述定义理解,监理工程师要符合以下三个条件:

(1)从事工程建设监理工作。

(2)已取得国家确认的监理工程师资格证书。

(3)经省、自治区、直辖市建委或建设厅,或国务院工业、交通部门的建设主管部门核准、注册,取得监理工程师岗位证书。

但是,在目前我国的建设监理实践中,较为普遍存在行业保护、地方保护等不正常的现象,导致我国目前监理工程师的称谓较为混乱。在我国现阶段的监理实践中,存在以下不同类型的监理工程师:

(1)经建设部和人事部全国统考合格并注册的监理工程师,俗称"国家级监理工程师"。

(2)经国务院有关部委(如交通部)组织考试合格并注册的监理工程师,俗称"部级监理工程师"。

(3)经省、市考试合格并注册的监理工程师,俗称"省级监理工程师"或"地方级监理工程师"。

在我国的建设监理实践中,还有"监理员"的称谓。按全国监理工程师培训统编教材的解释,监理员是指从事工程建设监理工作,但尚未取得监理工程师岗位证书的人员。很显然,此解释过于笼统,也导致监理实践中对这一概念的认识不统一。仔细研读目前已出台的建设监理法律、法规,以及部门或地方的规章,均没有对监理员做出比较权威的解释。1995 年建设部和国家计委联合发布的建设监理的纲领性文件《工程建设监理规定》第十三条明确规定:"监理单位应根据所承担的监理任务,组建工程建设监理机构。监理机构一般由总监理工程师、监理工程师和其他监理人员组成。"显然,法规中并未提及监理员称号。

监理工程师是我国特有的称号。对比国际通用的 FIDIC 合同条件可以发现,在 FIDIC 合同条件中类似于我国的监理工程师的人员的称号为"工程师"或"工程师代表"。此外,在 FIDIC 合同条件中"工程师"、"工程师代表"可任命任意数量的人员协助工程师代表履行职责,这些人员被称为"助理"。

(二)总监理工程师

在我国监理实践中,有"总监理工程师"的称号。而且,我国监理制度明确规定,对监理项目实行总监理工程师负责制,由总监理工程师全面代表监理单位行使监理合同授予监理单位的权力,履行监理合同规定的监理职责。很显然,总监理工程师是监理单位派到项目工地,全面负责项目监理工作的监理工程师。

由于总监理工程师在项目监理工作中具有特殊的重要性,这决定了其业务水平必须高于一般的监理工程师。目前,许多地方和行业部委,对总监理工程师都要求进行单独的上岗前培训,其任职资格一般都要通过单独认证。如河南省对总监理工程师任职资格已推行认证制度,总监理工程师分为一级总监理工程师和二级总监理工程师;再如,《上海市工程建设监理施工实施细则》规定:"监理单位派出的总监理工程师必须是本单位的在职人员,由取得监理工程师资格并经注册的专业人员担任,总监理工程师是监理单位派驻项目监理的授权负责人,对外代表监理单位向建设单位负责,对内向本单位负责。总监理工程师应经建设单位认可,并在监理合同或监理规划中写明。总监理工程师必须常驻施工现场,如有不尽其职或空挂其名的情况,建设单位有权要求监理单位调换人选。"

至于在我国目前监理实践中出现的有关监理工程师的其他概念，如主任监理工程师、副总监理工程师、监理工程师代表等，尚无统一的定义，此处不一一罗列。

（三）监理工程师的素质

监理工程师受项目法人的委托，进行项目建设的投资、进度和质量控制，完成合同管理和协调工作。其工作性质要求其必须具有很高的业务素质。监理工程师既要有一定的工程技术或工程经济方面的专业知识，还要有一定的组织协调能力。监理工程师必须是复合型人才，其高智能的素质主要体现在以下四个方面：

（1）具有较高的学历和多学科专业知识。

（2）具有丰富的工程建设实践经验。

（3）具有良好的品德。

（4）具有健康的体魄和充沛的精力。

（四）总监理工程师的素质

由于总监理工程师在项目建设过程中处于特殊的、重要的地位，所以一般认为，建设项目的总监理工程师应有较高的学历和较为广泛的理论知识（包括现代科技理论、经济管理、组织管理和法律等知识）；应有丰富的工程实践经验，担任过相当数量同等类型工程的主要负责人的经历；应精力充沛和身体健康，能适应常驻施工现场、工作繁忙甚至夜以继日的工作环境，并能限时限刻地处理工程中出现的问题和突发事件；应有良好的品质，廉洁奉公，为人正直，办事公道，坚持原则，善于听取各方面意见，能协调好各方面的关系。业主在选择项目监理单位时，在洽谈项目的前期，应对总监理工程师进行面试、考察，选择一位既懂技术又懂管理的人员担任总监理工程师。

二、监理工程师职业道德守则和工作纪律

（一）职业道德守则

（1）维护国家的荣誉和利益，按照"守法、诚信、公正、科学"的准则执业。

（2）执行有关工程建设的法律、法规、规范、标准和制度，履行监理

合同规定的义务和职责。

(3)努力学习专业技术和建设监理知识,不断提高业务能力和监理水平。

(4)不以个人名义承揽监理业务。

(5)不同时在两个或两个以上监理单位注册和从事监理活动,不在政府部门和施工、材料设备的生产供应等单位兼职。

(6)不为所监理项目指定承建商、建筑构配件、设备、材料和施工方法。

(7)不收受被监理单位的任何礼金。

(8)不泄漏所监理单位工程各方认为需要保密的事项。

(9)坚持独立自主地开展工作。

(二)工作纪律

(1)遵守国家的法律和政府有关条例、规定和办法等。

(2)认真履行工程建设监理合同所承诺的义务和承担合同中所约定的责任。

(3)坚持公正的立场,公平地处理有关各方的争议。

(4)坚持科学的态度和实事求是的原则。

(5)在坚持按监理合同的规定向业主提供技术服务的同时,帮助被监理者完成其担负的建设任务。

三、监理工程师的培养和继续教育

(一)监理工程师的培养

为了适应工程建设监理工作的需要,监理人员要具有较高的学历、丰富的理论知识和实践经验,以及良好的品德和强健的身体等素质。显然,在我国现行的教育体制下,任何一所高等学府都难以培养出这样的人才。鉴于此,我国从 1989 年开始,采取岗位培训的方式,吸收从事过工程设计、施工和工程建设管理工作的工程技术和工程经济人员参加工程建设监理知识培训。主要是从监理的角度学习有关工程建设的"三控、一管、一协调"(即质量控制、进度控制、投资控制、合同管理、协调有关单位的关系),以及计算机的应用等方面的知识。十几年来。岗位培训方式培养了一大批合格的监理人员,为监理业的迅猛发展奠定了坚实的人员基础。

(二)监理工程师的继续教育

面对科学技术日新月异的发展,监理工程师必须不断更新知识,以适应时代的要求。也就是说,除了监理工程师的培训培养之外,还存在着监理工程师继续教育的问题。

1. 监理工程师继续教育的内容

对监理工程师进行继续教育的主要内容包括专业技术知识、管理知识以及法规、标准等方面的知识。

(1)专业技术知识。随着科学技术的进步,可以说各门自然科学每年都会增加不少新的内容。作为监理工程师起码应了解本专业范围内新产生的应用科学理论知识和技能。

(2)管理知识。从一定意义上说,建设监理是一门管理科学。所以,监理工程师要及时地了解并掌握有关管理的新知识,包括新的管理思想、体制、方法和手段等。

(3)法规、标准等方面的知识。我国正值改革的时代,各种法规、标准等都在不断建立和完善。监理工程师尤其要及时学习和掌握有关工程建设方面的法规、办法、标准和规程,并应熟练运用这些法规、标准等。

随着国际交往的增加,监理工程师还要不断强化外语知识,了解国外有关工程建设监理的新技术、新发展、新动态。

2. 监理工程师继续教育的方式

首先,要立足于自学,监理工程师要学会在工作的同时不断更新、补充自己的知识;其次,有关机构和部门要定期或不定期地组织监理工程师开展新知识、新技术研讨活动;再次,有关机构和部门要不定期地对监理工程师进行有针对性的继续教育。

3. 监理工程师继续教育的考核

对监理工程师继续教育的考核,一方面是由该监理工程师所在单位进行日常考核。每五年,国家核查监理工程师资质时,其所在单位首先要提出考核意见,其中包括对监理工程师知识更新情况的考核。另一方面,由有关机构和部门借助于组织监理工程师继续教育活动进行考核。

四、监理工程师资格考试与注册

(一)监理工程师资格考试

监理工程师是一种执业资格。学习了工程建设监理专业理论知识,并取得合格结业证书后,还不能算具有监理工程师资格。要取得监理工程师资格,还得参加侧重于工程建设监理实践知识的全国统考,考试合格者才能取得《监理工程师资格证书》。

1.报考监理工程师的条件

报考监理工程师主要有两个要求:一是从事建设工作,包括从事工程建设管理工作的人员以及与工程建设相关的工作人员均可以报考;二是必须具备中级专业职称,并取得中级专业技术职称后又有三年以上(含三年)从事工程建设实践的经历。以上两项条件要同时具备,缺一不可。报考时,要填写报考申请表,并交验有关证件。

2.考试范围

开展建设监理培训工作以来,根据监理工作的实际业务内容,综合培训院校的教学科目,国家建设部组织编写了6本培训教材,并逐步在全国范围内推广使用。所以,监理工程师资格考试的范围是现行的监理培训教材,即《工程监理概论》、《工程建设合同管理》、《工程建设质量控制》和《工程建设进度控制》、《工程建设投资控制》和《工程建设信息管理》等。

3.考试方法和录取

监理工程师资格考试是对考生监理理论和监理实务技能水平的考查,是一种水平考试。因此,采取统一命题、闭卷考试、分科记分、统一标准录取的方式。

4.考试管理

根据我国的国情,对监理工程师资格考试工作实行政府统一管理的原则。具体管理机构是:国家成立由建设行政主管部门、人事行政主管部门、计划行政主管部门和有关方面的专家组成的全国监理工程师资格考试委员会,省、自治区、直辖市成立的地方监理工程师资格考试委员会。

全国监理工程师资格考试委员会是全国监理工程师资格考试工作的最高管理机构,其主要职责是:

(1)拟定考试计划。

(2)组织制定并发布考试大纲。

(3)组成命题小组,领导命题小组确定考试命题;拟定标准答案和评分标准,印制考卷。

(4)指导、监督考试工作。

(5)拟定考试合格标准,报国家人事行政主管部门、建设行政主管部门审批。

(6)进行考试总结,并写出考试报告。

(二)监理工程师注册

监理工程师是一种岗位职务。经注册的监理工程师具有相应的责任和权力。仅取得《监理工程师资格证书》、没有取得《监理工程师岗位证书》的人员,则不具备这些权力,也不承担相应的责任。仅取得监理工程师资格,而不在监理单位工作,或者刚取得监理工程师资格,是否能完全胜任监理工程师岗位的工作,还需要经过一段时间的锻炼和考验;或者为了控制监理工程师的队伍规模和建立合理的监理工程师专业结构,也可能对部分已取得监理工程师资格的人员不予注册。

总之,严格实行监理工程师注册制度,是为了建立一支适应工程建设监理工作需要的、高水平的监理队伍,也是为了建立和维护监理工程师岗位的严肃性。

1.监理工程师的注册条件

(1)热爱中华人民共和国,拥护社会主义制度,遵纪守法,遵守监理工程师的职业道德。

(2)已取得《监理工程师资格证书》。

(3)在监理单位执业,并能胜任担任的监理工作。

(4)身体健康,能适应监理工作的需要。

(5)符合建立专业结构合理、配套、规模适中的监理队伍的需要。

2．监理工程师的注册管理

监理工程师的注册工作实行分级管理。

国务院建设行政主管部门负责全国监理工程师的注册管理,其主要职责是:

(1)制定监理工程师注册的法规、政策和计划等。

(2)制定《监理工程师岗位证书》式样并监制。

(3)受理各地方、各部门监理工程师注册机关上报的监理工程师注册备案。

(4)监督、检查各地方、各部门监理工程师注册工作。

(5)受理对监理工程师处罚不服的上诉。

省、自治区、直辖市人民政府建设行政主管部门为本行政区域内地方工程建设监理单位监理工程师的注册机关。国务院各有关部门的建设监理主管机构为本部门直属工程建设监理单位监理工程师的注册机关。二者的主要职能基本相同,即:

(1)贯彻执行国家有关监理工程师注册的法规、政策和计划,制定相关的实施细则。

(2)受理所属监理单位关于监理工程师注册的申请。

(3)审批注册监理工程师,并上报国家监理工程师注册管理机关备案。

(4)颁发《监理工程师岗位证书》。

(5)负责对违反有关规定的注册监理工程师的处罚。

(6)负责对注册监理工程师的日常考核、管理,包括每五年对持《监理工程师岗位证书》者复查一次,对不符合条件者注销注册,并收回《监理工程师岗位证书》,以及注册监理工程师退出、调出(入)监理单位或被解聘时,办理有关核销注册手续。

注册监理工程师按专业设置岗位,并在《监理工程师岗位证书》中注明专业。

(三)注册监理工程师的职责

工程建设项目的总监理工程师一般由资深的注册监理工程师担任。一般注册监理工程师在总监理工程师的领导下开展工作,并可以带领未注册的监理人员负责一定范围的工作。注册监理工程师的职责如下：

（1）按照分工，独立自主地担负一定范围的监理工作。

（2）按照监理合同的要求，为项目法人提供满意的服务，并对自己的工作负责。

（3）在分管的工作范围内，对工程建设的具体事项有检验、签认的权力。

（4）为了改进工作，有向项目法人的建议权。

（5）遵守监理工程师的职业道德。

第四节　监理组织机构与人员组成

一、社会监理的组织机构

根据我国相关法律法规的规定以及有关建设监理单位的实践经验，监理单位组织机构层级构成的确定，应根据工程规模的大小及其他情况而定。

对于工程规模较小、行政管理简单的工程，可采用二级监理组织机构。二级监理组织机构组成如图 2-2 所示。

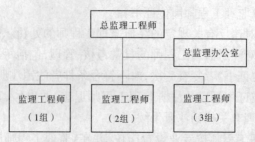

图 2-2　二级监理组织机构组成示意

对于工程规模较大，特别是工程范围涉及行政区较大时，可采用三级监理组织机构。三级监理组织机构组成如图 2-3 所示。

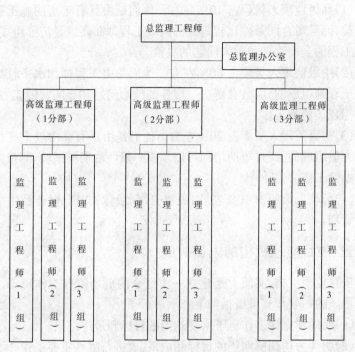

图 2-3 三级监理组织机构组成示意

二、社会监理机构的人员构成

根据有关建设监理公司的经验,监理人员的构成主要依据工程的复杂程度和工程投资密度(指每年投资额的多少)决定。一般情况下,每年投资密度为 100 万元(人民币)应配备 1~1.5 名监理人员;对于道路工程,也可按每公里配备 0.8~1.5 名监理人员。

此外,还应考虑到监理组织机构的设置、监理人员的素质、施工队伍的素质、机械化施工程度、工程复杂程度等情况,在上述按投资密度配备人员的基础上上浮一定的名额,以保证有一定数量的监理人员参加监理工作。

在配备监理人员时,还应考虑各级监理人员和各类专业人员的比例。根据工程实践经验,建议可参考以下比例:

（1）高级监理人员应占 10％左右。他们是由具有丰富的施工和设计经验，而且对合同条件比较精通的高级工程师和高级经济师组成的，负责工程的全面管理和重大问题的决策。

（2）中级监理人员应占 60％左右。他们是由工程师和水平较高的助理工程师组成的，应具有解决一般性的技术问题和合同管理能力，能够承担现场监理工作。

（3）初级监理人员应占 20％左右。他们是由具有高中以上文化程度的人员组成的，经过短期培训可以承担一般性的现场试验、测量或一些辅助性工作。

（4）行政人员应占 10％左右，负责打字、录像、文档、财务及生活方面的管理。

三、项目监理机构的人员构成

项目监理机构，实质上是建立一个健全的现场监理工作班子。建立该班子的一般步骤可概括如下：

（1）明确建立该工作班子所要达到的目标和最终结果。

（2）明确为达到所期望的目标和成果，要进行哪些重要工作。

（3）将所有工作归并为几类密切相关的职能，如：工程管理，含质量控制、工程检测、设计变更等；施工监督，含施工协调、现场监督、安全监督、劳工关系等；项目控制，含预算、采购、合同管理、成本控制、进度控制等。

（4）将各大职能部门系统地综合成为一个健全而简单的组织机构框图，如图 2-4 所示。

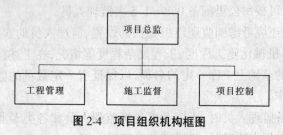

图 2-4　项目组织机构框图

(5)为各项工作配备相关人员。

(6)详细说明有关人员或有关部门的职责,授予履行职责人员相应的权力,建立各类人员工作评价标准,建立监理工作流程及信息流程。

四、项目监理机构与人员构成实例

根据有关项目监理的经验,笔者认为,项目监理机构与人员构成应贯彻少而精的原则,避免因机构庞大导致效率低下。

例如:某监理公司在一座高 28 层、建筑面积 30 000 m^2 的工程项目监理中,当监理单项工程时,其监理机构与人员构成如图 2-5 所示。

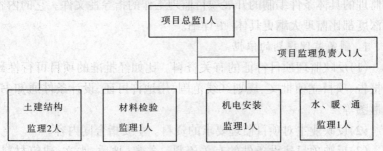

图 2-5 单项工程现场监理机构人员构成

第五节 工程建设监理的实施

一、工程监理规划

工程监理单位是社会主义建设市场的主体之一,与设计勘察单位、施工单位一样,也要参加市场经营活动。为了取得更好的社会效益和经济效益,监理单位从工程建设前期阶段就必须制定各种规划。其监理规划大体有下面三个阶段。

(一)制定监理大纲

监理大纲(监理方案)是社会监理单位为获得监理任务在投标阶段编制的项目监理方案性文件,它是投标书的组成部分。其目的是要使业主信服,采用本监理单位制定的监理方案,即能实现业主的投资目标和建设意图,进而赢得竞争,赢得监理任务。由此可见,监理大纲(或方案)的作用是为社会监理单位经营目标服务的,起着承接监理任务的作用。

监理大纲的内容包括:依据工程特点,确定监理目标,出具监理资质,制定监理规划,列出具体措施。

(二)制定监理规划

监理规划是在监理委托合同签订后在项目总监理工程师主持下,根据业主项目监理的要求,在详细占有监理项目有关资料的基础上,结合监理的具体条件编制的开展项目监理工作的指导性文件。它的内容和深度都比监理大纲更具体、更详细。

1.制定监理规划的依据

(1)反映监理项目特征的有关资料。比如经批准的项目可行性研究报告、项目立项批文、规划红线范围、用地许可证、设计条件通知书、地形图等。

(2)反映业主对项目监理要求的资料。主要指合同内容。

(3)反映项目建设条件的有关资料。气象、地质、水文、建筑材料、勘察设计、土建安装、交通、能源及市政公用设施条件等。

(4)反映当地工程建设、经济政策、法规方面的资料。如工程报建程序、招标及建设监理制度、工程造价管理。

(5)建设规范、标准。包括设计、勘测、施工、质量评定等方面的法定规范、规程、标准等。

2.制定监理规划的内容

1)工程概况

工程概况包括工程的组成、规范、类型、预计总投资、工期、质量等级、基本特点等。

2)监理目标

工期自20____年月____日至20____年____月____日,共计____月。

质量等级。整个项目要求质量等级:优良(合格);主要单项工程要求质量等级:优良(合格)。

3)投资控制

以 20 ___ 年预算为基价,静态投资为____万元。

4)监理范围及工作内容

设计阶段:收集必要资料→编写设计大纲→组织方案竞赛或设计招标,选好设计单位→设计委托合同→优化设计及必要的配合工作。

施工招投标阶段:拟定项目招标方案→编写招标文件→组织现场勘察及回答有关问题→组织开标、评标→与中标单位商签承包合同。

施工阶段:监理内容详见以后各章节。

合同管理:拟定本项目合同体系及合同管理制度,参与各类合同谈判,对合同执行情况进行跟踪分析与管理。

5)主要监理措施

投资控制:设计阶段推行限额或优化设计;招投标阶段拟好标底和合同价,不使之突破;材料供应,通过比选确定生产提供厂家;施工阶段,一是严格控制新增项目,二是防止索赔事件发生。

质量控制:建立完善质量管理组织,落实责任与分工等。

进度控制:通过落实责任,实施多级网络控制,采用新工艺等,确保工程进度。

监理组织:完善各种监理组织,落实措施及责任等。

(三)制定监理实施细则

监理实施细则是在监理规划指导下,在落实了各专业监理的责任后,由专业监理工程师针对项目的具体情况制定的更具有实施性和可操作性的业务文件。制定监理实施细则时,可分为设计阶段、施工招投标阶段、施工实施阶段。对每个阶段细则的制定,细化到可直接进行实施的程度。比如设计阶段的监理,从提供有关设计依据资料的各方面协调,直到设计单位按期拿出优质设计图纸。施工方面从具体管理到工程竣工验收完毕,工程移交过程中的各环节的操作实施步骤。

监理单位结合本单位的具体情况,按照现行有关监理工作的规定,以及工程建设的一般规律,编制出较为详细的施工监理工作实施细则,用以指导本单位各监理工程师的监理工作。实施细则包括监理工作细则、施工监理主要内容及权限、施工现场监理组管理办法等。监理公司将监理工作实施细则按上述内容汇编成册,发给公司每一位监理人员,作为指导监理工作的原则性文件,要求每位监理人员在监理工作中严格遵守。

下面简要介绍监理公司编制的监理工作实施细则的内容。

1. 施工监理工作细则

1)监理范围

根据监理合同规定的施工监理内容进行监理工作。

2)开工前准备工作的监理

(1)审查施工组织设计和施工方案。由项目总监理工程师组织有关专业监理工程师对开工前由施工单位提交的本工程的施工组织设计和各项技术措施进行共同审查,并将审查结果以书面形式答复施工单位。

(2)审查施工单位的质量、安全保证体系和管理制度。

(3)审查施工单位各项施工前准备工作和材料、设备进场情况。

(4)对施工单位所选择的分包单位和施工单位进行资格审查。

(5)协助建设单位和施工单位编写开工报告。

3)施工过程监理

(1)控制工程进度。

要求施工单位根据合同要求,提出工程总进度计划,监理组对总进度计划或审查认可,或提出修改意见;根据总进度计划,要求施工单位提出各分部、分项工程的季度、月度的具体计划安排,组织各专业监理工程师审查其可行性并提出意见。

在施工中,现场监理人员应随时检查进度计划的落实情况。如发现有影响工程进度的问题,应检查分析原因,督促施工单位及时调整计划和采取补救措施,以保证工程进度的实现。

参加现场定期召开的生产会议,对有关进度问题提出监理意见。督促施工单位按月提交施工进度报表,由项目总监理工程师组织审查认可,并写进监理月报。

(2)控制工程质量。

a. 做好图纸会审工作。

b. 检查施工单位是否严格按施工规范、验收标准和设计图纸要求进行施工,并经常深入现场检查保证质量技术措施的落实情况。如发现有不按施工规范和设计图纸要求施工而影响工程质量的,应及时向施工负责人提出改正意见。如施工单位仍坚持不改,可直接向施工单位负责人提出书面停止施工的意见,并报送建设单位和监理公司。

c.在施工监理中,如发现施工单位或其他施工管理人员或工人技术业务水平低劣,长期忽视施工质量和随意拖延工期,将严重影响整个工程质量和总进度计划时,总监理工程师应及时向本单位汇报,经研究后致函建设单位,要求撤换不合格的施工管理人员、施工队或施工单位。

d.严格执行国家和当地有关的建筑安装工程质量检查评定标准。在各部位分项工程完工后,施工单位应按质量检验程序进行自检和评定,并认真填写报表送各专业监理工程师核定;各专业监理工程师对所交验的各分项工程质量进行检查评定,如抽检结果与施工单位评定结果有差异时,应与施工单位共同再次检查评定。所有隐蔽工程未经监理工程师检查签字,不得进行下道工序施工。

e.控制各种建筑材料、建筑构配件、主要设备必须符合国家有关标准和设计要求。

主要建筑材料、构配件及主要设备在定货前,施工单位应提供样品和有关资料向监理工程师申报,经监理方会同建设单位、设计单位研究同意后方可定货。到货后,施工单位应及时向监理组报送其出厂合格证及技术参数等有关资料,由专业监理工程师审查是否符合设计要求及定货规定的厂家、型号规格和标准。

主要建筑材料进场时,必须具备正式的出厂合格证和材质化验单,施工单位必须按国家施工验收规范进行验收。如监理工程师认为其中有疑问时,应及时要求施工单位说明原因或补做试验,所有材料必须经监理工程师验证认可后方可使用。

f.审定各种半成品的配合比和各种构件的试块、试验结果。监理单位应严格审定各种半成品(如混凝土、砂浆及耐腐、防水、装饰等材料)的配合比是否符合有关标准要求,并以此作为施工中监理的依据。如因故改变配合比时,需经监理工程师认可签证。督促施工单位严格按国家施工规范规定做好各项构件的试块、试件的留置工作(如混凝土、砂浆、防水混凝土等试块和钢筋或钢材焊接试验等），审定其试验结果是否符合设计要求。

g.审查各主要部位的轴线、尺寸、标高和各种预埋件、预留孔洞是否符合设计要求。

h.对进口设备必须检查是否具有海关商检书。

（3）控制工程投资。

a.对施工单位按工程进度月报所反映的已完工程量，监理工程师应认真核定，同时应检查其工程质量是否合格，如不合格则不予签证。

b.按照建设单位与施工单位签订的承包合同规定的工程付款方法，根据核实的已完成工程数量和质量，签发（或会签）付款凭证。

c.对超出承包合同之外因设计修改、工地洽商等所增加的工程，应由施工单位做出预算，监理组可根据建设单位的委托，审查预算及工程结算。

（4）审查设计变更。

a.施工单位、建设单位或监理组对设计提出的修改意见，由设计单位研究确定并提出修改通知，再经监理工程师会签后交施工单位执行。

b.由设计单位提出的修改设计，应经监理工程师同意签字后，交施工单位施工。

c.工地洽商的有关设计变更，应取得监理工程师同意签字后，由施工单位向设计单位联系办理。

d.监理工程师会签各种设计变更，如需增加工程投资，应提交书面意见向建设单位反馈。

（5）监督检查施工安全防护措施。

审查施工单位提出的安全防护措施方案，并督促其实施。施工过程中，施工单位负责定期检查安全防护措施，监理组配合督促。如发现重大安全隐患，可直接向施工单位负责人提出停止施工、立即整改的意见，直至以书面形式向建设单位甚至政府主管部门反映。

（6）组织工程质量、设备事故的处理。

a.一般质量、设备事故，由项目总监理负责组织有关方面分析其事故原因，并责成事故责任方及时写出事故报告和提出处理方案，经设计单位和监理单位总监理工程师同意后进行处理。

b.重大质量、设备事故,监理组应及时向本单位上级汇报,由公司总监理工程师组织有关单位研究处理方案,并责成责任方写出书面事故报告和提出具体处理方案,经设计单位和公司总监理工程师同意后进行处理。

c.事故处理后,责任方应提出事故原因和处理结果等文件,并对处理技术负责。监理工程师负责监督,并对处理结果检查验收,将处理文件报送建设单位和本公司。

在施工过程的监理中,现场监理人员应建立工程监理日记,详细记录各分项工程的进度和质量情况,以及设计修改、工地洽商等有关工程施工必须记录的问题。现场监理人员应参加现场定期召开的监理会议,对有关进度、质量、投资等方面的问题提出监理意见。监理人员必须汇总每月工程施工进展情况,写出监理月报,经项目总监理工程师审查认可后,送建设单位和监理公司。

4)工程验收

(1)监理组在接到施工单位提交的工程竣工验收申请报告和验收资料后,项目总监理工程师应组织各专业监理工程师进行初验和审查竣工验收资料,将初验意见书面答复施工单位,对工程中存在的质量问题和漏项工程限定处理期限和复验日期,对验收资料所缺部分和错误之处限期补正。

(2)经初验合格后,由项目总监理工程师在工程验收报告上签认正式竣工日期,然后向建设单位提出竣工报告,要求建设单位组织有关部门和人员参加正式验收工作。

(3)如工程要求分阶段(或部位)进行正式验收,应在前一阶段(或部位)正式验收合格后,方可进行下一阶段施工。单位工程正式竣工验收合格后,方可办理移交手续。

5)整理有关工程技术资料及归档工作

此项工作包括督促检查施工单位所应做好的资料整理工作,及监理组应做的监理资料整理归档工作。

2. 施工监理的主要内容及权限

1)审查施工组织设计和施工方案

(1)施工单位应在开工前15天向监理工程师提出经其主管部门批准的施工组织设计,分阶段在施工前7天提出分部、分项工程的施工方案。

(2)监理工程师对组织设计和施工方案进行审查认可,如有不同意见应以书面形式向施工单位提出。

(3)监理工程师应督促施工组织设计中有关施工技术措施的落实情况。

(4)监理工程师应参加主要分项工程的施工技术交底。

2)关于主要建筑材料、主要设备的监理

(1)主要建筑材料在定货前,施工单位应提供样品(或看样)及有关订货厂家情况、单价情况,向监理组申报。经监理工程师会同设计、建设等部门研究同意后方可定货。

(2)主要设备在定货前,施工单位应向监理组申报,由监理工程师会同设计、建设等部门研究同意后方可定货。设备到货后,应及时向监理组送报出厂合格证明及有关技术资料,由监理工程师进行核定是否符合设计要求。

(3)施工单位应在用材前7天向监理组报送有关出厂合格证及材质试验报告,申请核实,否则不得用于工程施工。

(4)施工单位报送的有关出厂合格证及有关材质试验报告应符合国家有关规定要求。

(5)当监理工程师对核定的出厂合格证及有关试验报告有疑问时,应及时向施工单位提出意见,并抄送建设单位,施工单位应对此作出解释和处理。

3)核定有关施工试验报告

(1)有关施工试验报告的项目及内容均应按国家及地方有关规定进行,施工单位应及时向监理工程师报送施工部位相应的施工试验报告,以便及时核定。

(2)监理工程师核定有关施工报告,如发现有问题,应及时向施工单位提出予以纠正。对已造成施工事实者,监理工程师有权责成施工单位提出处理措施,并经设计单位同意和监理工程师认可。

4)审阅施工记录和安装记录,核定签署预检记录和隐蔽检查记录

(1)施工单位应按有关规定,认真做好施工记录、安装记录、预检记录和隐蔽记录,并及时向监理工程师报送。

(2)监理工程师应认真审阅施工单位记录和安装记录,如发现疑问及时向施工单位提出,施工单位应予以解释和澄清。对一些可能影响工程质量的疑点,施工单位应分析研究作出处理意见,并取得监理工程师的认可。

(3)施工单位在下道工序施工前,将预检记录和隐蔽记录报送监理工程师核定。监理工程师应对关键部位进行现场随机检查,如符合施工规范和设计要求即可签字认可,否则不得允许施工单位进行下道工序施工。

5)关于试验的监理

监理工程师参与水、暖、卫工程的系统试压试验,通风、空调工程的单机试运转,以及生产负荷联合试运转和电气照明、动力试验,以控制安装质量。

6)关于设计变更和工地洽商的监理

(1)有关的设计变更,监理工程师应及时从控制工程质量、进度、投资等的角度进行审查会签,然后交施工单位。

(2)施工单位提出的工地洽商,经监理工程师审查同意后,向设计单位办理洽商。

(3)凡影响工程进度和投资的重大设计变更和工地洽商,除按上述两条办理之外,尚应取得建设单位的同意。

7)关于工程质量事故的处理

(1)对于工程质量事故(包括施工和设计等方面原因造成的),监理工程师负责组织有关方面进行事故原因分析,并责成事故责任方及时写出事故报告和提出处理方案。

(2)责任方提出的质量事故处理方案,应征求监理工程师同意后,由责任方提出事故处理文件并对处理技术负责,监理工程师监督检查实施

情况。

8)关于工程进度和投资的控制问题

(1)监理工程师根据建设单位与施工单位签订的承包合同中约定的工期和施工单位提出的施工组织设计所制定的施工进度计划进行检查控制,当发现有影响工程进度的情况时,监理工程师应及时提出处理的监理意见。

(2)监理工程师要求施工单位及时报送1万元以上的设计变更和工地洽商,并由其认可。

(3)监理工程师严格按照由图纸计算的工程量控制实际施工的工程量。

(4)监理工程师审查施工单位提出的竣工结算。

(5)监理工程师应尽力协助施工单位及时处理一些影响工程进度、质量等的技术问题。

9)关于签发付款凭证

监理工程师负责审查施工单位提出的"付款申请书"及相应的有关报表。工程付款凭证须由项目总监签署认可意见后,报送建设单位作为付款的依据。

10)关于工程验收、技术资料整理

(1)监理工程师应严格执行验收程序,坚持各阶段验收合格后方可继续下阶段施工的原则。

(2)监理工程师负责组织各阶段验收工作。

(3)工程竣工验收,先由监理工程师负责组织初验,合格后再正式签署施工单位提出的"竣工申请报告",提请建设单位组织正式的验收。

(4)督促施工单位按照有关规定,及时提出竣工报告并整理各种技术资料,报请监理工程师审查后提交建设单位。

11)其他职责

(1)监理组及监理工程师须接受监理部门的监督,以实事求是的精神、严谨的科学态度、秉公办事的原则深入工地实行随机检查,严格控制工程质量。当发现确实不能保证工程质量的状况时,有权向现场施工管理人员提出停止施工。

(2)监理工程师对技术素质差、不能保证施工质量的施工班组,有权要求施工单位撤换。

3.施工现场监理组管理办法

1)现场监理组的组织和分工

(1)项目总监理工程师受公司委派,按合同约定的监理内容组织现场监理组各专业人员开展监理工作,审查签发监理组有关业务技术报表,负责组织编写、汇总监理组的计划和报告,提出监理月报。

(2)各专业监理工程师在项目总监理工程师的组织和领导下,各自负责本专业的有关监理业务。

2)建立监理例会和汇报制度

(1)每周总监理工程师召集监理组成员会议,总结上周监理工作,布置下周监理要求,讨论和解决监理中有关问题。

(2)每月由总监理工程师提出监理月报内容,经过现场监理组全体成员和建设单位代表参加讨论后,向监理公司、建设单位和监理公司上级主管部门上报当月监理月报。月报的内容应包括工程进度情况、质量情况、控制工程投资造价情况、重大设计变更和工地洽商、重大质量事故情况等。

(3)项目总监理工程师(或指定其他专业监理工程师代表)参加现场定期召开的施工例会。

(4)施工监理过程中,一般专业技术问题由该专业监理工程师负责处理,并及时将处理结果向总监理工程师汇报。

(5)施工监理过程中,遇到有重大技术经济问题或影响到监理合同执行的问题时,总监理工程师应及时向公司主管领导请示汇报,公司也应及时组织研究处理。

3)建立监理工作日记和考勤制度

(1)由项目总监理或临时委托他人,每天填写工作日记,记录工程监理主要情况。

(2)各专业监理工程师按专业监理情况填写本专业监理日记。

(3)监理工作日记应认真填写、妥善保存,作为归档技术资料。

(4)建立工地考勤制度,应每月将本监理组当月考勤统计表报送监理公司。

4)技术资料的管理

为统一监理技术资料的管理,提高工程监理水平,技术资料按下列整理:

(1)技术交底。

(2)材质与产品检验。

(3)施工试验报告。

(4)施工记录。

5)对监理工程师有关安全防护要求

监理工程师必须熟悉本专业的安全技术要求,认真审查施工中应注意的安全施工防护措施,督促施工单位在施工过程中严格遵守安全技术规程,有权随时检查各专业施工安全防护情况。如发现有重大安全隐患,应明确提出监理意见,要求施工单位切实纠正,并写进月报。监理工程师也应树立严格的自我防护意识,自觉遵守施工现场有关安全防护的规定。

6)其他

(1)监理组进驻施工现场前,应将项目监理组组织情况及人员名单以书面形成通知施工单位。

(2)敦促建设单位按有关规定,将监理内容、监理工程师名单及所有授权以书面形式通知施工单位。

(3)为配合施工进度,做好监理工作,监理组应建立现场值班制度。

二、工程建设监理目标的控制

工程项目也称为建设项目。它往往由多个设计单位进行设计,由多个施工单位参与施工。所谓工程项目管理,实际有总体工程项目建设管理,以及设计单位、施工单位的设计和施工管理等。工程项目建设监理就是指总体工程项目建设管理,以及对设计管理和施工管理的控制和协调,具体为"三控、一管、一协调"。建设监理优先确定投资、工期、质量的目标值,三者既相互统一又互相矛盾。确定目标值的最困难之处在于,在确定每个目标值时都要考虑到对其他目标的影响,进行各方面的分析比较,做到目标系统最优。当然,工程安全可靠性目标及施工质量合格目标是必须优先予以保证的。

(一)目标控制原理

(1)控制过程一般包括三个步骤,即确定目标标准、检查成效、纠正偏差。

(2)建立控制系统。控制系统包括控制子系统和被控制系统,如图2-6所示。控制子系统又包括制定目标单元和调节单元。

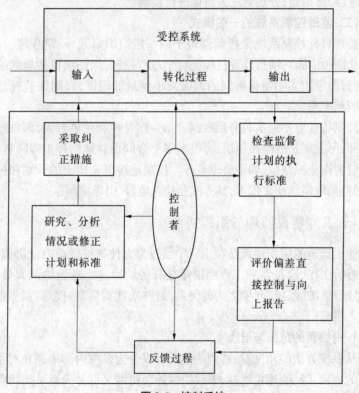

图2-6　控制系统

(3)控制过程的形成依赖于反馈原理,它应该是反馈控制和前馈控制的组合。所谓反馈控制,是把被控制对象的输出信息回送到控制子系统作为输入并产生新的输出信息,再输入被控对象,影响其行为和结果的过程。前馈控制是通过监视进入运行工程的输入,以确定它是否符合计划的要求,如果不符合,就要改变输入或运行过程。它对于避免造成被动和损失,对未来的控制都是十分重要的。

(4)在控制中纠偏要采取措施,要讲究方式、方法。控制方式、方法有:总体控制和局部控制,全面控制和重点控制,主管人员控制和全员控制,直接控制和间接控制,预算控制和非预算控制,事前、中、后控制,行政方法、经济方法和法律方法的控制等。归并为组织措施、合同措施、技术措施、经济措施,分别对三大目标进行控制。

(二)监理控制系统的一般模式

监理目标控制系统是指监理班子以一定组织形式、一定程序、一定手段和四种措施对项目监理目标进行全过程控制,保证项目按规划的轨道进行,力争使实际与标准间的偏差减小到最低限度,以确保监理总目标的顺利实现。

控制按任务不同实行分层控制。第一层是控制总负责人,即总监理工程师;第二层是战略控制层,可根据每个合同设驻地监理工程师负责;第三层为作业控制层,如设监理员等。控制是按事先拟定的计划和标准进行的,采取措施纠正偏差,其方法是检查监督、引导或纠正。

三、工程建设监理的组织协调

建设监理的组织协调是在工程中通过努力使各种活动力量协调、高速地进行工作,这是监理工程师的重要任务。通过不断地协调人员/人员、系统/系统、系统/环境之间的关系,最终实现质量高、投资省、工期短的三大目标。

(一)协调的范围与层次

从系统方法的角度看,协调的范围可以分为系统内部协调和对系统外部的协调。从监理角度看,工程项目外层协调又可分为近外层协调和远外层协调(如图 2-7 所示的I层次和II层次)。近外层和远外层的主要区别是:工程项目与近外层关联单位一般建有合同关系,而与远外层关联单位一般没有合同关系。

系统内部协调主要是人员、组织关系、内部需求(人、财、物)等方面。

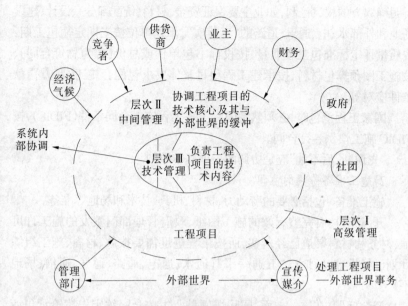

图 2-7　监理组织协调示意

要明确规定每个机构的目标责任、权限,最好以规章制度的形式作出明文规定。在人才安排方面要量才录用,人员搭配注意能力互补和性格互补。抓好需求关系、计划环节,平衡人、财、物的需要,对建设力量的平衡要抓住瓶颈环节等。一句话,通过内部协调,使监理工作成为一个和谐精干的实体。

对外协调主要是为了创造一个良好的监理建设的环境。涉及单位主要有业主、政府机构、施工单位、各社会团体等。具体方法主要是请示、报告、送审、取证、宣传说明等协调方法和信息沟通。

(二)监理与近外层次关系的协调

协调内容主要是相互配合,顺利履行合同义务,共同保证工程项目建设目标的实现。

1.业主与承建单位关系的协调

1)招标阶段的协调

对业主与承建单位双方的法人资格和履约能力进行复核。合同中要明确双方的权、责、利,如业主要保证资金、材料(统配部分)、设计、建设场地和外部水、电、通讯、道路的"五落实",承建单位按工期定额包工期、按质量评定标准包工程质量、按投标书包单价或总价(若为总价合同)、按施工图预算包材料、按承建工程项目整体要求包配套施工,双方罚款条件应对等。

国家工程承包时,必须熟悉国际土木工程施工合同条件(FIDIC),按FIDIC施工惯例签订合同。

"先说断,后不乱"应是协调的一项基本原则。

2)施工准备阶段的协调

施工准备:包括必要的劳动力、材料、机具、技术和场地等准备。

开工条件:有完整有效的施工图纸、政府管理部门签发的施工许可证,财务和材料渠道已经落实,所按工程进度需要拨款、材料、施工组织计划已经批准,场地已"五通一平"(通水、通电、通路、通气、通信、场地平)。

资金问题:在这一方面,国际惯例是业主按合同约定先拨给承包商一笔预付款,一般为工程造价的 8%~15%,个别达 20%;国内一般不超过当年工程量的 25%。安装工程一般不超过当年安装量的 10%,特殊情况可适当增加。监理工程师应保持双方信息沟通,协商办事,督促双方严格按照合同执行,避免不愉快事件的发生。

3)施工阶段的协调

协调内容:解决进度、质量、中间计量与支付的签证、合同纠纷等一系列问题。

进度协商:实践证明,有两项协调工作很有效。一是业主和承建单位双方共同商定一级网络计划,并由双方主要负责人在一级施工网络计划上签字,作为工程承包合同的附件;二是设立提前竣工奖,商请业主(监理代行)按一级网络计划节点考核,分期预付,让承建方设立施工进度奖,调动承建方职工的积极性。

质量问题协调:实行监理工程师质量签证认可,对没有出厂证明、不符合使用要求的原材料、设备和构件,不准使用,对于不合格的工程部位不予验收,也不予计算工程量、付进度款。

合同争议的协调:首先应协商解决,协商不成时才向合同管理机关申请调解或仲裁,对仲裁决定不服时可在收到裁决书15日内诉请人民法院审判决定。若系国际招标工程项目,应按 FIDIC 有关合同条款执行。一般合同争议切忌诉讼,应尽量协商解决,否则会伤害双方感情,贻误时间甚至可能"两败俱伤"。

只有当对方严重违约而使自己的利益不能得到补偿时,再考虑采用诉讼的手段。

4)交工验收阶段的协商

国内工民建工程一般在交工验收20天内(大中型水利工程不受此限制)编出竣工结算和工程贷款结算账单,办理竣工结算,结清账款。按国家规定,延付工程款按每月万分之三的利率处罚。

2.协调与设计单位的关系

设计单位为建设项目提供图纸,做出工程概预算以及修改设计等。监理单位应协调设计单位的工作,加快进度,保证质量,降低消耗。其方法有:①真诚尊重设计单位的意见;②主动向设计单位介绍工程进展情况,促使他们提前出图。

3.协调远外层关系

需要协调好的远外层包括政府、新闻媒体、金融、社会服务等单位,创造一个良好的工作环境,业主管"外",监理管"内"。方法主要是请示、报告、汇报、送审取证、宣传、说明等协调方法和信息沟通手段。

第六节　监理工作内容

我国引进监理制度的目的并非只是实施施工阶段的监理。国际上监理咨询企业的服务范围很广,但由于监理制度在我国实施的时间还不长,对监理工作的服务范围仍然存在一些认识上的差异,除了施工阶段的监理工作比较成熟外,其他方面的监理服务尚在试行和发展之中。因此,目前实施强制监理工作的基本服务内容主要限定在施工阶段的质量控制、进度控制、投资控制、合同管理和协调工作。监理单位为了实施综合、有效的控制,必须对工程建设的有关合同和各种信息进行管理。

但是,这并不表示监理的服务内容只限于施工阶段的质量控制、进度控制、投资控制。目前,已经在不少地方或监理企业开展的如工程决策阶段的咨询服务、招标阶段的组织与实施、设计阶段的监理等监理工作服务内容也应视为监理单位的监理工作内容。将来,这些监理工作服务内容的方法、程序和深度成熟后,仍会纳入工程建设监理的范围之中。

一、基本工作内容

基本工作内容包括合同管理、质量控制、进度控制、投资控制四个方面。

(一)合同管理方面

合同管理方面的具体内容包括:

(1)协助建设单位与承建单位、材料供应单位签订各类合同,避免合同缺陷的发生。

(2)对包括建设单位签订的承包合同在内的所管理的合同进行履约分析和风险分析,预测可能出现的问题。

(3)提醒或协助建设单位履约。如及时供料、及时付款、对材料设备进行验收等。

(4)针对合同履行中的情况,公正地解释合同条款的含义。

(5)根据建设单位的授权,发布开工令、停工令和复工令。

(6)公正地处理工程变更事宜。

(7)公正地处理索赔事宜。

(8)组织工地会议,协调各方关系。

(9)进行工程质量的控制。

(10)进行工程进度的控制。

(11)进行工程计量、支付的控制。

(12)提交有关阶段的、专项的或总体的工程报告(月报、评估报告)。

(13)做好监理记录,管理监理档案工作。

(二)质量控制方面

质量控制方面的具体内容包括:

(1)审查工程项目的施工组织设计、技术方案。

(2)检查工程所用的材料、半成品、构件和设备的质量。

(3)检查质量管理体系。

(4)审查分包单位。

(5)审查和现场检查各种配合比的准确程度。

(6)审查测量放样的方案,现场检查与复查控制成果及放样。

(7)对所有隐蔽工程进行验收。

(8)采取主动控制的措施。

(9)对施工过程进行检查。

(10)对工程质量(分项、分部工程)进行验收和评定。

(三)进度控制方面

进度控制方面的具体内容包括:

(1)审查进度计划。

(2)定期检查工程进度,并对比分析工程进度。

(3)根据实际情况提出进度控制措施。

(四)投资控制方面

投资控制方面的具体内容包括:

(1)对实际完成的工程量进行计算。

(2)对工程计量进行计价,审查进度付款申请。

(3)审查工程决算。

(4)审查工程变更或设计变更洽商的价款。

二、扩展内容

监理工作的扩展内容包括:

(1)项目决策方面。

(2)招标方面。

(3)勘察设计监理。

(4)材料与设备监理方面。

(5)代理前期准备工作。

(6)非常规质量检测和监测。

(7)职业培训。

第七节　监理责任

监理单位或监理人员在接受监理任务后,应努力向项目业主或法人提供与其水平相适应的服务。相反,如果不能够按照监理委托合同及相应法律法规开展监理工作,按照有关法律和委托监理合同,委托单位可按监理委托合同对监理单位进行违约金处罚,或对监理人员提起诉讼。

一、建设监理的普通责任

对于工程项目监理,不按照委托监理合同的约定履行义务,对应当监督检查的项目不检查或不按规定检查,给建设单位造成损失的,应承担相应的赔偿责任。这里所说的普通责任只是在建设单位与监理单位之间的责任。当建设单位不追究监理单位的责任时,这种责任也就不存在了。

二、建设监理的违法责任

根据相关法律法规的规定,建设监理的违法责任包括:

(1)与承建单位串通,为承建单位谋取非法利益,给建设单位造成损失的,应当与承建单位承担连带赔偿责任。

(2)与建设单位或建筑施工企业串通,弄虚作假,降低工程质量的,可对其进行责令改正、处以罚款、降低资质等级、吊销资质证书等处理;有违法所得的,予以没收;造成损失的,承担连带赔偿责任。

(3)监理单位经营责任:转让监理业务等(如擅自开业,超越范围,故意损害甲、乙方利益,造成重大事故),责令改正,没收违法所得;或责令停业整顿,降低资质等级;或吊销资质证书。

建设监理的违法责任在于违反了现行的法律,法律要运用其强制力对违法者进行处理。

第二篇　工程监理目标

控制与实践

第三章 质量控制

第一节 概 述

一、工程质量控制概述

(一)质量

根据 GB/T19001—2000 的规定,质量的定义是:一组固有的特性满足需要的程度。

质量的主体是"实体",如产品、服务和过程等。实体既可以是活动或过程,如监理单位受业主委托实施工程建设监理或承建商履行合同的过程;也可以是活动或过程结果的有形产品(如建成的厂房)或无形产品(如监理计划)等;也可以是某个组织体系或人,以及以上各项的组合。由此可见,质量的主体不仅包括产品,而且包括活动、过程、组织体系或人,以及它们的组合。

特征是需要的定性或定量的表现,因而也是用户评价产品、过程和服务满足需要程度的参数与指标系列,如可用性、安全性、可获得性、可靠性、可维修性、经济性、环境等。表现产品特征的参数与技术经济指标,称为产品质量特性。它可以归纳为以下五个方面:

(1)性能——产品满足使用目的所具备的技术属性,如混凝土的强度、房屋的建筑面积、管道的内径等。

(2)寿命——产品能够正常使用的期限,如灯泡的使用小时数、钻头的进尺数等。

(3)可靠性——产品在规定时间内、规定条件下完成规定工作任务的能力,如电视机的无故障工作时间、材料与构件的持久性和耐用性。

(4)安全性——产品在流通、操作、使用过程中保证人身与环境免遭危害的程度,如电器的使用电压、机器的噪声。

(5)经济性——从设计到制造整个产品使用寿命周期的成本大小,包括设计成本、制造成本、使用成本等。

获得满意的质量,要受到全过程各阶段互相作用的众多活动的影响。有时为了强调不同阶段对质量的作用,可以称某个阶段对质量的作用或影响,如"设计对质量的作用或影响"、"施工对质量的作用或影响"等。

应当注意的是,上述质量定义中所说的满足(明确的或隐含的)需要不仅是针对客户的,还应考虑到社会的需要,符合国家有关的法律、法规的要求。如某些产品虽然能适应某些地区顾客的需要,但该地区从总体规划上来考虑不允许发展,所以这样的产品也就不能"满足需要",不具有所要求的质量。

(二)工程项目质量的特点

工程项目质量的特点是由工程项目的特点决定的。

1. 工程项目的特点

1)单项性

工程项目不同于工厂中连续生产的相同产品,它是按业主的建设意图单项进行设计的。工程内外部管理条件、所在地点的自然和环境条件、生产工艺过程也各不相同。没有两个完全相同的工程项目,即使类型相同的工程项目,其设计、施工也会存在着千差万别。

2)一次性与长期性

工程项目的实施必须一次成功,它的质量必须在建设过程中全部满足合同规定要求。它不同于制造产品,如果不合格可以报废,售出的可以用退货或退还货款的方式补偿各自的损失。工程项目质量不合格会影响产品的长期使用,甚至危及生命、财产的安全。

3)高投入性

任何一个工程项目都要投入大量的人力、物力和财力,投入建设的时间也是一般制造业产品所不可比拟的。因此,业主和实施者对于每个项目都需要投入特定的大量管理。

4)生产管理方式的特殊性

工程项目地点是特定的,产品位置固定而操作人员流动。因此,这些特点形成了工程项目管理方式的特殊性。这种管理方式的特殊性体现在工程项目建设上就是必须实施监督管理,实施监督管理对工程质量的形成有制约和提高的作用。

5)风险性

工程项目在自然环境中进行建设,受大自然的阻碍或损害很多。由于建设周期很长,遭遇风险的概率也大,工程的质量会受到或多或少的影响。

2. 工程项目质量的特点

正是由于上述工程项目的特点而形成了工程质量本身的特点。

1)影响因素多

工程项目质量的影响因素较多,如决策、设计、材料、机械、环境、施工工艺、施工方案、操作方法、技术措施、管理制度、施工人员素质等均直接或间接地影响工程项目的质量。

2)质量波动大

工程建设因其具有复杂性、单项性,不像一般工业产品的生产那样,有固定的生产流水线,有规范化的生产工艺和完善的检测技术,有成套的生产设备和稳定的生产环境,有相同系列规格和相同功能的产品,所以其质量波动性大。

3)质量变异大

由于影响工程质量的因素较多,任一因素出现质量问题,均可能引起整个工程建设系统的质量变异,造成工程质量事故。

4)质量隐蔽性

工程项目在施工过程中,由于工序交接多、中间产品多、隐蔽工程多,若不及时检查并发现存在的质量问题,事后看表面质量可能很好,容易产生第二判断错误,即将不合格的产品认为是合格的产品。

5)终检局限大

工程项目建成后,不可能像某些工业产品那样,可以拆卸或解体来检查内在的质量,工程项目终检时难以发现工程内存在的、隐蔽的质量缺陷。因此,对于工程质量应更重视事前控制、事中严格监督,防患于未然,将质量事故消灭在萌芽中。

(三)工程质量控制

1.质量控制

依据 ISO8402—1994 的定义,质量控制是质量管理的一部分,致力于满足质量要求。

对质量的要求应转化为可用一些定性和定量的规范表示的质量特性,以便于质量控制的执行和检查。

对质量控制贯穿于质量形成的全过程,贯穿于形成的各环节,实施质量控制,就是要排除这些环节的技术、活动偏离有关规范的现象,使其恢复正常,达到质量控制的目的。

质量控制的内容是"采取的作业技术和活动"。这些活动包括:

(1)确定控制对象,例如一道工序、设计过程、制造过程等。

(2)规定控制标准,即详细说明控制对象应达到的质量要求。

(3)规定具体的控制方法,例如工艺规程。

(4)明确所采用的检验方法,包括检验手段。

(5)实际进行检验。

(6)说明实际与标准之间有差异的原因。

(7)为解决差异而采取的行动。

2.工程项目质量的控制

工程项目质量控制可定义为:工程质量管理的一部分,致力于满足工程质量要求。

工程项目质量要求主要表现为工程合同、设计文件、基础规范规定的质量标准。因此,所谓工程项目质量控制,就是为了保证达到工程合同规定的质量标准而采取的一系列措施、手段和方法。工程质量控制的程序如图 3-1 所示。

工程项目质量控制按其实施者不同,包括三方面:

(1)业主方面的质量控制——工程建设监理的质量控制。其特点是外部的、横向的控制。

工程建设监理的质量控制,是指监理单位受业主委托,为保证工程

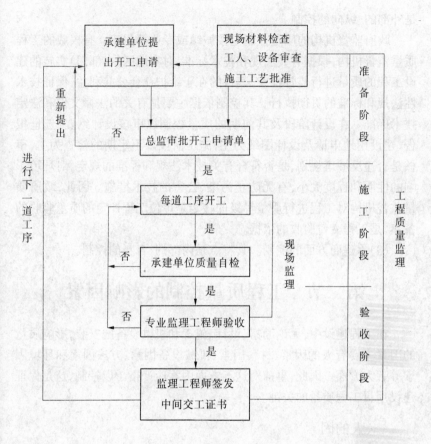

图 3-1　工程质量控制程序

合同规定的质量标准而对工程项目进行的质量控制。实施工程建设监理的质量控制的目的在于,保证工程项目能够按照工程合同规定的质量要求达到业主的建设意图,取得良好的投资效益。其控制依据除国家制度的法律、法规外,主要是合同、设计图纸。在设计阶段及其前期的质量控制以审核可行性研究报告及设计文件、图纸为主,审核项目设计是否符合业主要求。在施工阶段进驻现场实地监理,检查是否严格按图纸施工,并达到合同中规定的质量标准。

(2)政府方面的质量控制——政府监督机构的质量控制。其特点是外部的、纵向的控制。

政府监督机构的质量控制是按城镇或专业部门建立有权威的工程质量监督机构，根据有关法规和技术标准，对本地区(本部门)实施的建设工程的质量进行监督检查，其目的在于维护社会公共利益，保证技术性法规和标准的贯彻执行。其控制依据主要是有关的法律文件和法定技术标准。在设计阶段及其前期的质量控制以审核设计纲要、选址报告、建设用地申请及设计图纸为主；施工阶段以不定期的检查为主，审核是否违反城市规划，是否符合有关技术法规和标准的规定，对环境影响的性质和程度大小，有无防止污染、公害的技术措施。因此，政府质量监督机构对工程进行质量等级的核定是单位工程评定的质量验收的备案，是工程交付验收的依据。

(3)承建商方面的控制。其特点是内部的、自身的控制。

第二节　工程质量控制的影响因素

在工程建设中，无论勘察、设计、施工和机电设备的安装，影响质量的因素主要有人的因素、材料因素、机械设备因素、方法因素和环境因素等五大方面。因此，事前对这五方面因素应严格予以控制，这是保证建设项目工程质量的关键。

一、人的因素

人，是指直接参与工程建设的决策者、组织者、指挥者和操作者。将人作为控制的对象，是为了避免产生失误；将人作为控制的动力，是要充分调动人的积极性，充分发挥"人的因素第一"的主导作用。

为了避免人的失误，调动人的主观能动性，增强人的责任感和质量观，达到以工作质量保工序质量、促工程质量的目的，除了加强政治思想教育、劳动纪律教育、职业道德教育、专业技术知识培训，健全岗位责任制，改善劳动条件，进行公平合理的激励外，还需根据工程项目的特点，从确保质量出发，本着因才适用、扬长避短的原则来控制人的使用。

在工程监理质量控制中，应从以下几方面来考虑人的因素对工程质量的影响。

(一)领导者的素质与管理水平

在对设计单位、施工承包单位进行资质认证和优选时,一定要考核该单位领导层的因素。因为如果领导层的整体素质高,其决策能力必然就强、组织机构健全、管理制度完善、经营作风正派、技术措施得力、社会信誉好、实践经验丰富、善于协作配合。这样,就有利于合同的执行,有利于确保质量、投资、进度三大目标的控制。事实证明,领导层的整体素质是提高工作质量和工程质量的关键。因此,在 FIDIC 合同条款中明文规定,对项目经理、总工程师以及计划、财务、质量、主体工程、装饰、试验、机械等主要管理人员的个人经历及能力均要进行考查;监理工程师随时有权检查承包人员的情况,有权建议撤换承包方的任何施工人员,有权建议业主或业主主动提出解除合同、驱逐承包商等条款。这些有利于加强对承包人员的控制,促使承包方领导层提高领导素质和管理水平。

(二)人的理论、技术水平

人的理论、技术水平直接影响工程质量水平,尤其是对技术复杂、难度大、精度高、工艺新的建筑结构设计或建筑安装的工序操作。例如,功能独特、造型新颖的建筑设计,特种结构、空间结构的理论计算,危害性大、原因复杂的工程质量事故分析的处理等,均应选择既有丰富理论知识、又有丰富实践经验的建筑师、结构工程师和有关的工程技术人员承担。又如,金属结构的仰焊、高级装修与饰面、高压容器罐的焊接、油漆粉刷的配料调色等,则应由熟悉工艺原理、操作熟练、经验丰富的技术工人来完成。必要时,还应对以上人员的技术水平予以考核,进行资质认证。

(三)人的工作作风

参与工程建设的所有人员要有良好的工作作风。良好的工作作风表现为对工作细致、认真、配合、精益求精。认真做好每一项工作,想好每一个要点,要有对工程项目高度负责的态度,注重与参与建设的其他人员进行配合,力求一次比一次好。这是一个非常重要的方面。

(四)人的生理缺陷

根据工程施工的特点和环境,应认真考虑、严格控制人员的生理缺陷。如患有高血压、心脏病的人,不能从事高空作业和水下作业;反应迟钝、应变能力差的人,不能操作快速运行、动作复杂的机械设备;视力或听力差的人,不宜参与校正、测量或用信号、旗语指挥作业等。否则,将影响工程质量,引发安全事故,引起质量事故。

(五)人的心理行为

人由于要受社会、经济、环境条件和人际关系的影响,要受组织纪律、法律、规章和管理制度的制约,要受劳动分工、生活福利和工资报酬的支配,所以人的劳动态度、注意力、情绪、责任心等在不同地点、不同时期也会有所变化。如当个人某种需要未得到满足,或受到批评处分,带着愤懑和怨气等不稳定情绪工作,工作质量很难有所保障,甚至可能引发安全事故;如果上下级关系紧张,产生疑虑、畏惧、抑郁的心理,注意力发生转移,也极容易诱发质量、安全事故。因此,对某些需确保质量、万无一失的关键工序和操作,一定要分析人的心理变化,控制人的思想活动,稳定人的情绪。

(六)人的错误行为

所谓人的错误行为,是指施工人员在工作场地或工作中吸烟、打赌、错视、错听、误判断、误动作等,都会影响质量或造成事故。因此,对具有危险源的现场作业,应严禁吸烟、嬉戏;当进入强光或暗环境对工程质量进行检查、检测时,应经过一定时间,使视力逐渐适应光照强度的改变,然后才能正常工作,以免发生错视;在不同的作业环境,应采用不同的色彩、标志,以免产生误判断或误动作;对指挥信号应有统一明确的规定,并保证畅通,避免噪声的干扰。这些措施,均有利于预防发生质量和安全事故。

(七)人的违纪违章

所谓人的违纪违章,指施工人员粗心大意、漫不经心、注意力不集中,无知而又不虚心、不懂装懂,不履行安全措施、安全检查不认真,随意乱扔东西,任意使用规定外的机械装置、不按规定使用防护品,碰运气、图省事,玩忽职守、有意违章,只顾自己而不顾他人等,都必须严加教育,及时制止。否则,引发的后果将十分严重。如粗心大意,将计算数据输入错误,就会造成"差之毫厘,失之千里"的危害;在签订合同时,少1字就可能造成赔1万的后果。

此外,应严禁无技术资质的人员上岗操作。总之,在人员使用的问题上,应从政治素质、思想素质、业务素质和身体素质等方面综合考虑,全面控制。

二、材料因素

材料(包括原材料、成品、半成品、构配件)是工程施工的物质条件,没有材料就无法施工;材料质量是工程的基础,材料质量不符合要求,工程质量也就不可能符合标准。因此,加强材料的质量控制,是提高工程质量的重要保证,是创造正常施工条件、实现投资控制和进度控制的前提。

(一)材料质量控制要点

在工程监理中,监理工程师对材料质量的控制应着重于以下工作。

1. 全面采集信息,选择质优价廉的材料

掌握材料质量、价格、供货能力的信息,选择好供货厂家,就可以获得质量好、价格低的材料资源,从而就可确保工程质量,降低工程造价。为此,对主要材料、设备及构配件在供货前,承包单位必须申报,经监理工程师论证同意后,方可定货。

2. 合理组织材料供应,确保施工正常进行

监理工程师协助承包单位合理地、科学地组织材料采购、加工、储备、运输,建立严密的计划、调度、管理体系,加快材料的周转,减少材料的占用量,按质、按量、如期地满足建设需要,乃是提高供应效益,确保正常施工的关键环节。

3. 采取科学合理的方法,加强对进场材料的管理

合理地组织材料使用,减少材料的损失,正确按定额计量使用材料,加强运输、仓库、保管工作,加强材料限额管理和发放工作,健全现场材料管理制度,避免材料损失、变质,乃是确保材料质量、节约材料的重要措施。

4. 加强材料检查验收，严把材料质量关

对用于工程的主要材料，进厂时必须具备正式的出厂合格证和材质化验单。如不具备出厂合格证及材质化验单或检验人员对检验证明有怀疑，应补做检验。

工程中所用各种构件，必须具有厂家批号和出厂合格证。钢筋混凝土的预应力钢筋混凝土构件，均应按规定方法进行抽样检查。由于运输、安装等原因出现的构件质量问题，应分析研究，经处理鉴定后方能使用。

凡标志不清或认为有质量问题的材料、对质量保证资料有怀疑或与合同规定不符的一般材料、由工程重要程度决定应进行一定比例试验的材料、需要进行追踪检验以控制和保证其质量的材料等，均应进行抽检。对于进口的材料和重要工程或关键施工部位所用的材料，则应进行全部检验。

材料质量抽样和检验方法应符合《建筑材料质量标准与管理规程》，应能反映该批材料的质量性能。对于重要构件或非匀质的材料，还应酌情增加采样的数量。

在现场配制的材料，如混凝土、砂浆、防水材料、防腐材料、绝缘材料、保温材料等的配合比，应先提出试配要求，经试配检验合格后才能使用。

对进口材料、设备应会同商检局检验，如核对凭证中发现问题，应取得供方和商检人员签署的商务记录，按期提出索赔。

对于高压电缆、电压绝缘材料，要进行耐压试验。

5. 重视材料的使用认证，以防错用或使用不合格的材料

对主要装饰材料及建筑配件，应在定货前要求厂家提供样品或看样定货；主要设备定货时，要审核设备清单是否符合设计要求。

对材料性能、质量标准、适用范围和对施工要求必须充分了解，以便慎重选择和使用材料。

凡是用于重要结构、部位的材料，使用时必须仔细核对、认证其材料的品种、规格、型号、性能有无错误，是否适合工程特点和满足设计要求。

新材料应用必须通过试验和鉴定;代用材料必须通过计算和充分的论证,并要符合结构构造的要求。

材料认证不合格时,不许用于工程中。有些不合格的材料,如过期、受潮的水泥是否降级使用,需结合工程的特点予以论证,但决不允许用于重要的工程或部位。

(二)材料质量控制的内容

材料质量控制的内容有材料的质量标准、材料的性能检验、材料的取样和试验方法、材料的适用范围和施工要求等。

1.材料质量标准

材料质量标准是用以衡量材料质量的尺度,也是作为验收、检验材料质量的依据。不同的材料有不同的质量标准,如水泥的质量标准有细度、凝结时间、强度、体积安定性等。掌握材料的质量标准,便于可靠地控制材料和工程的质量。如水泥颗粒越细,水化作用就越充分,强度就越高。初凝时间过短,不能满足施工有足够的操作时间;初凝时间过长,又影响施工进度。安定性不良,会引起水泥石的干裂,造成质量事故。强度达不到等级要求,直接危害结构的安全。为此,对水泥的质量控制,就是要检验水泥是否符合质量标准。

2.材料检验的方法

材料检验的方法有书面检验、外观检验、理化检验和无损检验四种。

3.材料质量检验程度

根据材料信息和保证材料的具体情况,其质量检验程度分免检、抽检和全部检查三种。

4.材料质量检验

材料质量的检验项目分:"基本试验项目",为通常进行的试验项目;"其他试验项目",为根据需要进行试验的项目。

5.材料质量检验的取样

材料质量检验的取样必须具有代表性,即所采取样品的质量应能代表该批材料的质量。在采取试样时,必须按照规定的部位、数量及采选的操作要求进行。

取样应能反映全部质量特征,标准所规定的取样办法是经过科学计算和实践验证的,必须遵守。

(三)材料的选择和使用要求

材料的选择和使用不当,均会严重影响工程质量甚至造成质量事故。为此,必须针对工程特点,根据材料的性能、质量标准、适用范围和对施工要求等方面进行综合考虑,慎重地来选择和使用材料。

三、方法因素

这里所指的方法因素,包含工程项目整个建设周期内所采取的技术方案、工艺流程、组织措施、检测手段、施工组织设计等方面的因素。

方法因素尤其是施工方案正确与否,是直接影响工程项目的进度控制、质量控制、投资控制三大目标能否顺利实现的关键。实际施工中,往往由于施工方案考虑不周而拖延进度,影响质量,增加投资。为此,监理工程师在参与制定和审核施工方案时,必须结合工程实际,从技术、组织、管理、工艺、操作、经济等方面进行全面分析,综合考虑,力求方案技术可行、经济合理、工艺先进、措施得力、操作方便,有利于提高质量、加快进度、降低成本。

方法是实现工程建设的重要手段,无论是方案的制定、工艺的设计,还是施工组织设计的编制、施工顺序的开展和操作要求等,都必须以确保质量为目的,严加控制。

四、机械设备因素

机械设备包括生产机械设备和施工机械设备两大类,现仅就施工机械设备选用中的有关质量控制的问题予以简述。

施工机械设备是实现施工机械化的重要物质基础,是现代工程建设中必不可少的设施,对工程项目的施工进度和质量均有直接影响。为此,在项目施工阶段,监理工程师必须综合考虑施工现场条件、建筑结构形式、机械设备性能、施工工艺和方法、施工组织与管理、建筑技术经济等各种因素,参与承包单位机械化施工方案的制定和评审,使之合理装备、配套使用、有机联系,以充分发挥建筑机械的效能,力求获得较好的综合经济效益。从保证项目施工质量的角度出发,监理工程师应着重从机械设备的选型、机械设备的主要性能参数和机械设备的使用操作要求三方面予以控制。

(一)机械设备的选型

机械设备的选型,应本着因地制宜、因工制宜,按照技术上先进、经济上合理、生产上适用、性能上可靠、使用上安全、操作上方便和维修方便等原则,贯彻执行机械化、半机械化与改良工具相结合的方针,突出机械与施工相结合的特色,使其具有工程的适用性,具有保证工程质量的可靠性,具有使用操作的方便性和安全性。

(二)机械设备的主要性能参数

机械设备的主要性能参数是选择机械设备的依据。选择的机械设备的主要性能参数应能满足施工需要和保证质量的要求。如打桩机械的选择,实质上就是对桩锤的选择,而锤的重量必须具有一定的冲击能,应使锤的重量大于桩的重量,当桩重大于 2t 时,锤的重量也不能小于桩重的 75%。这是因为,锤重则落距小,“重锤低击”,锤不产生回跃,不至于损坏桩头,桩入土快,能保证打桩质量;反之,“轻锤高击”,锤易回跃,易打坏桩头,桩难以打入土中,不能保证打桩质量。

(三)机械设备的使用、操作要求

合理使用机械设备,正确地进行操作,是保证项目施工质量的重要环节。对机械设备的使用应贯彻“人机固定”原则,实行定机、定人、定岗位责任的“三定”制度。操作人员必须认真执行各项规章制度,严格遵守操作规程,防止出现安全质量事故。

五、环境因素

影响工程项目质量的环境因素较多,有工程技术环境,如工程地质、水文、气象等;工程管理环境,如质量保证体系、质量管理制度等;劳动环境,如劳动组合、劳动工具、工作面等。环境因素对工程质量的影响具有复杂而多变的特点,如气象条件就变化万千,温度、湿度、大风、暴雨、酷暑、严寒都直接影响工程的质量。此外,前一工序往往就是后一工序的“环境”,前一分项、分部工程也就是后一分项、分部工程的“环境"。因此,根据工程的特点和具体条件,应对影响质量的环境因素采取有效的措施严加控制。

对环境因素的控制,涉及范围较广。在拟订控制方案、措施时,必须全面考虑,综合分析,才能达到有效控制的目的。

第三节 分阶段质量控制

质量控制是工程监理"三控、一管、一协调"中的"三控"之一,是整个工程监理工作的核心,是各环节中最为关键的一环,在整个监理工作中起着至关重要的作用。施工监理工程师质量控制的目标是:

(1)保证工程项目是按已确认的施工单位所提交的质量保证计划完成的。

(2)工程质量完全满足设计的要求和合同的约定,质量可靠。

(3)所提供的技术文件和质量文件可以满足用户对工程项目运行、维修、扩建和改建的要求。

一、设计阶段的质量控制

在项目设计实施阶段,监理工程师应审核设计文件及图纸是否符合合同约定的质量要求,进行咨询、质询及提出意见,要求设计单位作出解释或修正。

(一)设计各阶段的质量控制

在设计的不同阶段,质量控制的具体内容也是不同的。

1. 初步设计阶段的质量控制

初步设计是在确定的建设地点和规定的建设期限内,进一步论证拟建工程项目在技术上的可行性和经济上的合理性,解决工程建设中的技术问题和经济问题,论证工程建设中重要的技术问题和经济问题,论证工程项目及重要建筑物的等级标准,对选定的方案进行初步设计,并确定各项技术经济指标等。

初步设计阶段控制的内容包括:

(1)审核设计依据。核查初步设计是否符合标准的设计任务书或规划设计大纲和设计纲要、有关的批文、签订的设计合同或评定的设计方案,以及有关的建设标准、规定和法规等。

(2)审核建设规模。包括主要建筑物和构筑物的结构形式及布置、主要设备的选型及配置、占地面积及场地布置等。

(3)审核原材料、动力等资源的用量及来源。审核工程建设所需各种原材料的规格、品种、质量、用量和来源,以及燃料、动力的供应保障等。

(4)审核施工工艺流程。合理的施工工艺流程可以保证工程质量及施工进度目标的实现。

(5)参与和审核主要设备的选型和配置。

(6)审核各主要建筑物和构筑物的建设顺序和期限。

(7)审核主要的技术经济指标,核查各主要技术经济指标是否符合质量目标和水平。

(8)审核项目的总概算。

(9)核实外部协作条件及对外交通。

初步设计的深度应能满足设计方案的评选,满足重要设备、材料的定货及生产安排,满足土地的征用与移民安排、技术设计(或施工图设计)的进行,以及施工组织设计的编制和有关的施工准备工作等。

2.技术设计阶段的质量控制

技术设计的深度比初步设计更进一步,主要对设计中的某些技术问题或技术方案进行进一步确定。主要包括以下几个方面:

(1)进行特殊工艺流程方面的试验、研究和确定。

(2)新技术、新工艺、新方案的试验、研究和确定。

(3)主要建筑物、构筑物的某些关键部位的试验、研究和确定。

(4)新型设备的试验、制作和应用。

(5)编制、修正概算。

在技术设计阶段,监理工程师应审查设计文件、图纸和有关的试验研究报告。

3.施工图设计阶段的质量控制

施工图设计是以批准的初步设计(或技术设计)为依据而编制的,

是按照初步设计(或技术设计)所确定的设计原则、结构方案和控制尺寸,根据建筑和安装工程的需要,绘制出详尽的施工图,其设计深度应满足设备、材料和采购定货、各种非标准设备的制作、建筑和安装工程施工的要求,同时还得满足编制施工图预算的要求等。

监理工程师对施工图设计的审核内容,主要包括:计算有无错误,所用材料的种类、数量及布置是否合理,标注的各部分尺寸和标高有无错误,各专业设计之间是否有矛盾,各部位的结构是否表示清楚和明确,是否符合施工要求并能够指导施工。

对于普通的工业与民用建筑工程,设计阶段的质量控制包括总体方案的审核、专业设计方案的审核和设计图纸审核三部分。设计方案的审核贯穿在初步设计和技术设计或扩大初步设计阶段内,主要是审查项目的设计是否符合设计纲要的要求,是否符合国家的有关方针、政策和设计法规,工艺是否合理,技术是否先进,是否符合确定的质量目标和水平,是否能充分发挥工程项目的经济效益、社会效益和环境效益。

(二)总体设计方案的审核

工程项目总体设计方案主要包括设计规模、总建筑面积、生产工艺及技术水平、建筑造型等内容。

1. 设计规模

对生产性项目而言,设计规模是指设计年生产能力,如汽车厂以一年生产多少万辆汽车表示、电站以设计装机容量多少万千瓦表示;对非生产性项目而言,设计规模可用设计容量表示,如多少座位的剧院、多少床位的医院、多少学生的学校、多少户数的住宅区等。

2. 总建筑面积

总建筑面积包括全部建筑面积(使用面积、辅助面积等)的大致比例。

3. 生产工艺及技术水平

对于生产性项目应确定采用什么工艺技术、工艺标准的水平,以及主要工艺设备的选择等。

4.建筑造型

建筑造型是指建筑平面布置、立面造型是否与周围环境相协调,建筑总高度是否符合规定,建筑外观的艺术效果等。

总体方案的审核主要是在初步设计时进行,重点是审核设计依据、设计规模、产品方案、工艺流程、项目组成及布局、设备配套、占地面积、协作条件、"三废"治理、环境保护、防灾抗灾、建设期限、投资概预算等的可靠性、合理性、先进性。

(三)专业设计方案的审核

专业设计方案的审核,重点是审核设计方案的设计参数、设计标准、设备和结构选型、功能和使用价值等方面,是否满足适用、经济、美观、可靠等要求。

1.建筑设计方案

建筑设计方案主要审核平面和空间布置是否合理和适用,建筑物理功能如采光、隔热、保温、隔声、通风等是否达到规定的标准,材料的选择、布置和构造是否满足要求等。

2.结构设计方案

结构设计方案主要审核结构方案的设计参数、结构方案的选择,安全度、可靠度、抗震是否符合要求,主体结构布置,结构材料的选择等。

3.其他专业设计方案

其他专业设计方案,如给水工程、排水工程、通风空调、动力工程、供热工程、通信工程、厂内运输和"三废"工程等设计方案,主要审核实际依据、设计参数、各专业设计方案的选择,以及路线或管道(管网)的布置及所需的设备、器材、工程材料的选择等。

设计方案阶段的质量控制,主要是协助设计单位做好设计方案的技术经济分析,以及在设计单位的技术经济分析基础上,对设计方案进行审核。

(四)设计图纸的审核

1.监理工程师的审核

监理工程师对设计图纸的审核是按设计阶段进行的。

1)初步设计阶段

在初步设计阶段,设计图纸的的审核侧重于工程所采用的技术方案是否符合总体方案的要求,是否达到项目决策阶段确定的质量标准。

2)技术设计阶段

技术设计阶段是在初步设计基础上方案设计的具体化。因此,对技术设计图纸的审核应侧重于各专业设计是否符合预定的质量标准和要求。

监理工程师在初步设计阶段和技术设计阶段审核方案或图纸时,需要同时审核相应的概算文件,因为只有在投资控制限额内,设计质量又符合预定要求的,才是符合要求的设计。

3)施工图设计阶段

对施工图的审核,侧重于使用功能及质量要求是否得到满足。

(1)建筑施工图。主要审核房间或车间尺寸及布局情况、门窗及内外装修、材料选用、要求的建筑功能是否能满足等。

(2)结构施工图。主要审核承重结构布置情况、结构材料的选择、施工质量的要求等。

(3)给排水施工图。主要审核水处理工艺设备及管道布置和走向、加工安装的质量要求等。

(4)电气施工图。主要审核供配电设备、灯具与电器设备的布置、管网的走向及安装质量要求等。

(5)供热、采暖施工图。主要审核供热、采暖设备的布置,以及管网的走向与安装质量要求等。

2.政府机构的审核

政府机构对设计图纸的审核侧重于以下几个方面:

(1)是否符合城市规划方面的要求。

(2)工程建设是否符合法定技术标准。

(3)安全、防火、卫生、防震、"三废"治理等方面是否符合有关标准的规定。

(4)对供水、排水、供电、供热、交通道路、通信等专业工程设计,主要审核是否符合市政规划要求等。

二、施工阶段的质量控制

(一)施工阶段质量控制的依据

施工阶段监理工程师进行质量控制的依据主要包括下列文件：

(1)工程项目承包合同和监理合同中有关质量方面的约定和要求。

(2)工程项目承包合同中指定的技术规范、规程和标准。

(3)经审批的设计文件、设计图纸、技术要求和规定。

(4)国家和相关主管部门颁发的施工规范、操作规程、安装规程、质量等级标准、验收规程等。

(5)工程中使用的新材料、新工艺、新技术、新结构的试验报告和具有权威性的技术检验部门或相应部门的技术鉴定书。

(6)工程中所使用的有关材料和产品技术标准。

a.有关材料和产品的技术标准。如水泥及水泥制品、木材及木材制品、钢材、砖、石材、石灰、砂、砾石、涂料、沥青、粉煤灰、外加剂及其他材料和产品的技术标准等。

b.有关材料验收、包装、标志的技术标准。如型钢验收、包装、标志及质量证明书的一般规定(GB2101—80)，钢筋验收、包装、标志及质量证明书的一般规定(GB2102—80)，钢铁产品品牌号表示方法(GB221—79)，钢管验收、包装、标志及质量证明书的一般规定(GB2103—80)等。

(7)有关试验取样的技术标准和试验操作规程。如钢的机械及工艺试样取样的方法(YB15—64)、木材物理力学试样锯解及试样切取方法(GB1929—80)、木材物理力学试验方法总则(GB1928—80)、水泥安定性试验方法(压蒸法)(GB750—65)、水泥胶砂强度检验方法(GB177—77)等。

(8)国家及有关部门颁发的有关工程质量管理方面的法律、法规等文件。

(二)施工阶段质量控制的内容

施工阶段监理工程师质量控制的主要内容包括：

(1)建立和完善监理单位的质量监控系统；配备相应的人员，明确各自的职责和权限、工作方法和工作程序;配备所需的检测仪器和设备,以及有关的法规、标准、文件;编制监理大纲和拟定监理细则,进行人员的培训,做好质量监控的各项准备工作。

(2)审查施工单位进场人员和施工队伍的技术资质是否符合工程项目施工的要求,经审查认可后才能上岗。对于不合格人员,监理工程师有权要求施工单位予以撤换。对于特殊工种(如电焊工、检验工、化验工等)和特种作业(如潜水作业、高空作业、高电压作业等)及关键的施工工艺、新技术、新工艺、新材料的施工操作等,还应对其技能进行考核和评审,经考核合格后才能上岗。在资质的审查中,一般应重点审查施工组织者和管理者的资质、质量管理的水平和经验。

(3)对工程中所用的原材料、半成品、构配件、永久性设备和器材的质量控制。

(4)审查施工单位进场的施工机械设备是否满足要求,应重点审查施工机械设备类型、性能参数和数量是否符合批准的施工组织设计或施工计划、施工方案和施工方法的要求,并适合施工现场条件。

(5)审查施工单位提交的施工组织设计、施工方案和施工方法,以及施工质量保证措施。施工组织设计是指导施工准备和组织施工的技术条件,通常分为施工组织总体设计和单位工程施工组织设计两类,前者是针对工程项目总体施工的组织设计,后者是针对单位工程施工局部性的施工组织设计。施工组织总体设计是在招投标阶段施工单位提交的施工组织设计的基础上,进一步详细和完善的施工文件。该施工组织设计经监理工程师审查确认后,即作为施工承包合同文件的一部分,不得任意变动。在施工阶段,施工单位在施工组织总体设计的基础上,根据工程的特点和施工现场的具体情况,编制较详细的单位工程或重点工程的施工组织设计或施工计划和施工质量保证措施,提交监理工程师审查。经审查批准后,即应遵照该文件组织施工,不得任意改动。监理工程师对单位工程施工组织设计的审查,着重以下几个方面:

a.施工质量管理体系是否健全、有效。

b.施工总平面布置是否合理,是否有利于正常施工和保证施工质量。

c.工程地质特点和场区环境状况对工程项目施工质量和安全是否有不利影响,是否已拟定保证施工质量和安全的具体措施。

d.对主要的分部、分项工程的施工和特殊条件下的(如炎热、严冬、雨季等)的施工,是否已制定有针对性的保证施工质量和安全的施工组织技术措施。

监理工程师对施工方案的审查,着重在以下几方面:

a.施工程序是否合理,是否充分考虑和有效避免了施工中交叉作业所造成的相互干扰和对施工质量及施工安全的影响。

b.施工机械设备的类型、性能和数量是否能满足施工的要求,是否与所拟定的施工组织方式相适应,是否能保证施工质量、施工效率和施工安全。

c.施工方法是否合理可行,是否符合施工现场条件和环境,是否符合有关的施工规范和标准的规定,是否能满足工艺要求。

(6)审查施工单位的质量保证体系是否健全有效。

(7)审查分包商的资质。总承包单位在选择分包单位时,应向监理工程师提出申请,经监理工程师对分包单位的资质进行审查,确认其施工队伍的技术资质、管理水平和质量保证能力符合要求后,才能签订分包合同。对于不合格的人员,监理工程师有权要求撤换,或经培训合格,并经监理工程师审查认可后,才能进场施工。分包单位应按照分包合同的约定对分包工程的质量向总承包单位负责,总承包单位与分包单位对分包工程的质量承担连带责任。

(8)对测量基准点、基准线、参考标高和工程测量放线进行质量控制。监理工程师应督促施工单位对测量基准点、基准线和参考标高等测量控制点进行复核,并将复核结果报监理工程师审批确认后,才能据此进行施工测量和放线。

(9)组织设计交底和图纸会审。

(10)审核设计变更和图纸修改。

(11)督促和协助施工单位完善工序质量控制。

(12)对施工过程进行跟踪监督和控制。

(13)对重要的分部、分项工程及隐蔽工程组织检查和验收。

(14)组织工程项目的试运行或联动试车,参与工程项目的竣工验收。

(15)组织工程质量事故的调查、处理和上报。

(16)督促施工单位进行质量回访和保修期内的质量保修。

(三)施工阶段质量控制的程序

工程项目施工阶段是工程项目实体形成的过程,也是工程项目质量目标具体实现的过程。监理工程师应对施工的全过程进行监控,对每道工序、分项工程、分部工程和单位工程进行监督、检查和验收,使工程质量的形成过程始终处于受控状态。

工程项目开工前,施工单位在全面完成开工前的各项准备工作的基础上,提出工程项目的开工申请,并提交施工准备的有关材料,其中包括人员、材料、机械进场情况,以及材料的现场试验报告。监理工程师应对施工单位提交的开工申请进行审查,并对施工单位完成的施工准备工作情况进行全面检查,在审查通过并征得建设单位及上级主管部门同意后,监理单位即可签发开工令,批复施工单位。

工程项目开工后,监理单位应派出现场监理员(也称检查员或巡视员),对每道工序的施工进行旁站监督和检查,必要时还要对工序的施工质量进行抽样检验。每道工序完工后,施工单位应对施工质量进行自检,并在自检合格的基础上填报验收通知单。监理单位在接到施工单位的验收通知单后,应在24小时内派出监理人员到现场进行检查验收。如检查发现质量不合格,监理工程师可指令施工单位进行返工修理,必要时可下达停工令。如工序质量检查合格,经监理工程师确认验收后,施工单位才能进行下一道工序的施工。

分项工程完工后,施工单位在质量自检合格的基础上,填写分项工程自检单,通知监理单位验收。监理单位在接到施工单位的有关资料(包括质量自检资料)后进行审查,检查合格后,准予确认验收。

分部工程完工后,施工单位在质量自检合格的基础上,填写分部工程验收单,监理单位接到施工单位的验收通知单后,应组织监理人员进行现场检查,并汇总该分部工程中各分项工程的验收,进行复验。检查合格后,予以验收,并签发验收签证。

单位工程(单项工程)完工后,施工单位应组织内部预验;在预验合格的基础上,向监理单位提出验收申请,并提交该单位工程(单项工程)的质量保证资料(包括由勘测、设计、施工、工程监理等单位分别签署的质量合格文件和施工单位签署的工程保修书)。监理工程师在接到施工单位提交的验收申请后,应组织内部初验,即组织监理人员进行现场检查,并审查该单位工程(单项工程)的质量资料和文件是否齐全和真实。如发现问题,应指令施工单位返工修补;如检查通过,则应填写初验报告,并提交建设单位。在建设单位同意后,由建设单位和监理单位共同向上级主管部门提出正式验收申请。批准后,由建设单位组织验收。

(四)施工阶段质量控制的方法

1. 审核技术报告和文件

(1)审核施工单位提出的开工报告。监理工程师在接到施工单位的开工申请后,应详细进行审核,并经现场检查核对合格后,下达开工令。

(2)审核分包单位的技术资质证明文件。

(3)审核施工单位提交的施工组织设计、施工方案。施工组织设计、施工方案的审查是工程项目开工前质量控制的主要内容和步骤,施工单位所采用的施工方法除应使施工的进度满足工期的要求外,还应保证工程的施工符合规定的质量标准。监理工程师在审核时,应着重审查施工安排是否合理、施工机械的配置是否得当、施工方法是否可行、施工外部条件是否具备等方面。

(4)审核施工单位提交的材料、半成品、构配件的质量检验报告,包括出厂合格证、技术说明书、试验资料等质量保证文件。

(5)审核新材料、新技术、新工艺的现场试验报告。

(6)审核永久设备的技术性能和质量检验报告。

(7)审查施工单位的质量保证体系文件,包括对分包单位的质量控制体系和质量控制措施的审查。

(8)审核设计变更和图纸修改。

(9)审核施工单位提交的反映工程质量动态的统计资料或图表。

(10)审核有关工程质量事故的处理方案。

(11)审核有关应用新材料、新技术、新工艺的鉴定报告。

2.现场质量检查

1)现场质量检查的内容

监理工程师或其代表在施工阶段进行现场检查的内容包括以下几项：

(1)开工前检查。开工前检查是检查施工单位开工前的各项准备工作完成情况，是否具备开工条件，能否保证工程连续施工和顺利完成。

(2)工序施工过程检查。工序施工过程中，监理人员对施工操作人员、材料、施工机械及机具、施工方法及施工工艺、施工环境等因素进行跟踪监督和检查，检查上述因素是否处于良好的受控状态，是否能保证质量要求，如发现问题应及时采取措施加以纠正。

(3)工序交接检查。工序交接检查是指前一道工序完工后，经检查合格才能进行下一道工序的作业。监理人员在上一道工序作业完成后，在施工班组进行质量自检、互检合格的基础上，进行工序质量的交接检查。

(4)隐蔽工程在封闭掩盖前的检查。隐蔽工程在施工完成后，施工单位应首先进行自检。在自检合格后，在封闭掩盖前，通知建设单位和建设工程质量监督机构，并由监理工程师组织检查验收。未经监理工程师检查验收，自行封闭或掩盖，对此项工程不予认可，并按违规处理。

(5)工程施工预验。施工预验是指监理人员在施工未进行前所进行的预先检查，以防出现差错，确保工程的质量。通过预验合格后，监理人员予以书面确认；未经预验或预验不合格时，则不能进行下一道工序的施工。

(6)停工后复工前的检查。工程项目由于某种原因停工后，在复工前，应经监理人员检查认可，并下达复工令后，方可复工。

(7)成品保护质量检查。成品保护质量检查是指在施工过程中，某些分项工程（单元工程）已完工，而其他分项工程（单元工程）尚在施工，或分项工程的一部分已完成，另一部分尚在继续施工，为了保护已完工的成品免受损坏,监理人员应对成品的质量经常进行巡视检查,要由施工单位对已完成的成品采取妥善的措施加以保护,以免受到损伤或污染,从而影响工程整体的质量。具体措施可采取防护、包裹、覆盖、封闭等保护方法。

(8)分项(单元)工程、分部工程完工后的检查验收。分项(单元)、分部工程完成后,在施工单位自检合格的基础上,监理人员应进行检查认可,并签署中间交工证书。

(9)其他质量跟踪检查。在施工过程中,监理工程师应派出检查员(监理员或巡视员)在施工现场进行巡视、旁站监督(或临场监督),根据工程合同和技术标准、规程对工程质量进行监督和检查。对于违反合同、技术标准和规程,影响工程质量的施工活动,应及时加以劝阻、制止和纠正。如若劝阻无效,则可发出现场违规通知,直至停工指令。

2)现场质量检查的方法

监理人员进行现场质量检查的方法,通常可分为视觉检查、量测检查和试验检查三类。

(1)视觉检查。视觉检查就是凭借人的视觉、触觉和听觉来检查和判断施工的质量,它包括观察和目测检查、手摸检查及耳听检查。根据检查对象的不同,通常又将上述检查方法具体转化为看、摸、敲、照四种方法。

(2)量测检查。量测检查是指通过测量仪器、测量工具或测量仪表进行检查,根据实际测量的结果与标准或规范规定的质量要求相对比,来判断是否符合质量标准的要求的方法。根据检查手段的不同,量测检查可归纳为靠、吊、量、套四种方法。

(3)试验检查。试验检查是指通过现场取样或制作试件,由专门的试验室进行试验,或直接通过现场试验,取得数据,然后分析判断质量是否符合要求。试验检查可分为理化试验、无损试验。其中理化试验通常包括物理性质试验、化学成分试验及力学性质试验三种。

3.检查信息的反馈

检查员(监理员或巡视员)的值班、巡视、现场检查监督和处理的信息,除应以日报、周报、值班记录等形式作为工作档案外,还应及时地反馈给监理工程师和总监理工程师。对于重大问题及普遍发生的问题，还应以函件的方式通知施工单位，要求迅速采取措施加以纠正和补救，并保证以后不再发生类似问题。

现场检测的结果也应及时反馈到施工生产系统，以督促施工单位及时进行调整和纠正。

(五)施工阶段质量控制的方式和手段

在工程项目施工阶段，监理工程师进行质量控制时一般可采用以下几种方式和手段。

1.施工阶段质量控制的方式

在工程项目施工阶段，监理工程师在质量控制中采取的质量控制方式通常有下列几种。

1)旁站监督

在工程项目施工中，监理工程师派出监理人员(检查员或巡视员)到施工现场，对施工过程进行临场定点旁站观察、监督和检查，采用视觉检查质量控制方法对施工人员情况、材料、工艺与操作、施工环境条件等实施监督与检查，发现问题及时向施工单位提出并促使其纠正，以便使施工过程始终处于受控状态。旁站监督应对监督内容及过程进行记录，并编写日报、周报。

2)现场巡视

现场巡视是指在施工过程中，监理人员对施工现场进行巡视检查，以便了解施工现场情况，发现质量事故苗头和影响质量的不利因素，及时采取措施加以排除。现场巡视检查后，应写出巡视报告。

3)抽样检验

抽验检验是抽取一定样品或确定一定数量的检测点进行检查、测量或试验，以确定其质量是否符合要求。抽样检验时所采用的检验方法有检查、量测和试验三种。

4)规定质量控制制度或工作程序

规定施工阶段施工单位和监理单位双方都必须遵守的质量控制制度或工作程序。监理人员根据这一工作制度或工作程序来进行控制。

2．施工阶段质量控制的手段

在施工阶段,监理工程师为了控制施工质量,可以采取以下两种质量控制手段。

1)下达指令文件

指令文件是指监理工程师对施工单位发出的指示和要求的书面文件,用以向施工单位提出或指出施工中存在的问题,或要求和指示施工单位应做什么或如何做等。监理工程师发出的各项指令都必须是书面的,并作为技术文件存档保存。如确因时间紧迫,来不及作出书面指令,可先以口头指令的方式下达施工单位,随后及时补发正式书面指令予以确认。

2)利用支付手段

支付手段是监理合同赋予监理工程师的一种支付控制权,也是国际上通用的一种控制权。所谓支付控制权,是指对施工单位支付各项工程款时,必须有监理工程师签署的支付证明书,建设单位(业主)方可向施工单位支付工程款,否则建设单位(业主)不得支付。

(六)工序质量控制

工程项目的整个过程,就是完成一道一道的工序,所以施工过程的质量控制主要是工序的质量控制,而工序的质量控制又表现为施工现场的质量控制,同时也是施工阶段质量控制的重点。

监理工程师应加强施工现场和施工工艺的监督控制,督促施工单位认真执行工艺标准及操作规程,进行工序质量的控制。同时,监理工程师还应实施现场检查认证制度,工程的关键部位应实施现场观察、中间检查和技术复核,并做好施工记录,认真分析质量统计数据,对质量不合格的产品和施工工艺及时处理和纠正。

1．工序质量控制的内容

工序质量控制包括工序活动条件的控制、工序活动过程的控制和工序活动效果的控制三个方面。

1)工序活动条件的控制

所谓工序活动条件的控制,就是为工序的活动创造一个良好的环境,使工序能够正常进行,以确保工序的质量。可见,工序活动条件的控制就是对工序准备的控制。

工序的质量受到人、材料、机械、方法、环境等因素综合作用的影响,所以工序的质量控制就是要利用各种手段预先对影响工序质量的人、材料、机械、方法、环境等因素加以控制。

2)工序活动过程的控制

工序活动是在预先(施工前)准备好的条件和环境下进行的。在工序活动过程中,影响质量的因素往往会发生变化。因此,在工序活动过程中,监理人员应注意各种影响因素和条件的变化,如发现不利于工序质量的因素和条件变化,要立即采取有效的措施加以处理,使工序质量始终处于受控状态。为此,监理人员应通过现场巡视、旁站监督等方式监督现场操作人员(施工人员和质检人员)按规定的操作规程和工艺标准进行施工;随时注意各种其他因素和条件的变化,如物料、人员、施工机械设备、气象条件和施工现场环境状况和条件的变化,出现问题应及时采取相应措施加以控制和纠正。

3)工序活动效果的控制

工序活动效果的控制主要是对施工完成的工程产品质量性能状况和性能指标的控制。通常是在工序完成后,首先由施工单位进行自检,自检合格后填写质量验收通知单,监理单位在接到验收通知单后,在规定的时间内到达现场对工序进行抽样,通过对子样(样品)检验的数据进行统计分析,判断工序活动的效果(质量)是否正常和稳定,是否符合质量标准的要求。这一过程通常由抽样、实测、分析、判断、认可或纠正构成。

2. 工序质量控制的实施

监理工程师在实施工序质量控制时,通常按下列步骤进行:

(1)制定质量控制的工作程序或工作流程。

(2)制定工序质量控制计划,明确质量控制的工作程序和质量控制制度。

(3)分析影响工序质量的各种可能因素,从中找出对工序质量可能产生重要影响的主要因素,针对这些主要因素制定控制措施,主动地进行预防性控制,使这些因素处于受控制状态。

（4）设置工序质量控制点，并进行质量预控。通过对工序施工过程的全面分析，确定需要进行重点控制的对象、关键部位或薄弱环节，设置控制点，并对所设置的质量控制点在施工中可能出现的质量问题，制定对策，进行预控。

（5）对工序活动过程进行动态跟踪控制。监理人员通过现场巡视、旁站监督等方式，对工序的整个过程实施连续的动态跟踪控制，发现工序活动出现异常状态，应及时查找原因，采取相应的措施加以排除或纠正，保证工序活动过程处于正常、稳定受控状态。

（6）工程施工完成后，及时进行工序活动效果的质量检验。

3．项目施工中的技术复核制度

在工程项目施工过程中，各项工作是否完全按照合同、技术规程、设计文件、施工图纸、技术规范和操作规程来进行，将直接影响到工程的质量。因此，监理工程师应对一些施工内容，或一些比较重要的、能够直接影响工程质量的关键性技术内容进行复核，严格把关，以便能及早发现问题，并加以纠正。

1）技术复核的内容

施工过程中技术复核的内容大致可归纳为以下几方面：

（1）隐蔽工程的检查验收。隐蔽工程施工完成后，掩蔽或覆盖前，在施工单位自检合格的基础上，经监理人员检查验收，确认其质量合格并签证后，才允许掩蔽或覆盖。

（2）施工交接检查分为工序间的交接检查、施工班组之间的交接检查、专业施工队之间的交接检查、专业工程处（局）之间的交接检查及不同承包单位之间的交接检查等。

（3）工程施工预验（或复核性检查）。工程施工预验是指在工程施工之前，对某些与该工程的施工质量有密切关系的已完成的工作或技术问题进行预先检查，复核其正确性或其质量是否满足规定要求，以免因这些工作存在质量问题而给整个工程造成难以补救的损失。

2）技术复核的程序

技术复核的程序如图 3-2 所示，分为四个步骤。

（1）施工单位呈交有关质量资料。在某一工序（或某项工程）完工

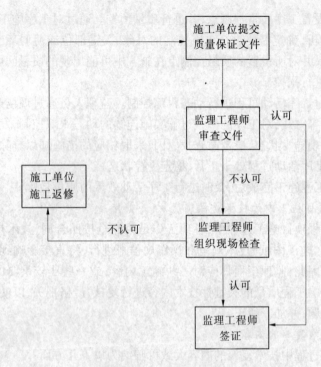

图 3-2　技术复核程序

后,施工单位应将全部质量保证文件和资料、工程质量的必要说明,以及有关的工程记录(如隐蔽工程记录)等质量资料呈交给监理工程师。

(2)监理工程师审查质量文件。监理工程师在接到施工单位所提供的质量保证文件以后,应进行详细审查,如认为质量文件可靠,施工质量没有问题,即可签证认可,并以书面形式通知施工单位。如果监理工程师尚有怀疑,或认为有必要进一步进行现场复核,可组织现场检查。

(3)监理工程师进行现场检查。监理工程师对照质量标准和施工单位所提交的质量检查记录,采用视觉检查、量测检查和试验检查的方法,进行现场复核。

(4)监理工程师作出认可与否的决定。监理工程师将现场检查的结果与质量标准对照,对工程的质量作出判断。如果认为质量合格,则可签证确认;如果认为质量不合格,则应要求施工单位返修补救。

3)技术复核的制度

技术复核工作作为监理工程师的一项经常性工作任务,应纳入监理规划和质量控制工作计划之内,并形成一种制度。

4．质量控制点

1)质量控制点概述

设置质量控制点是为了保证施工质量而对某些施工内容、施工项目、工程的重点和关键部位、薄弱环节等,在一定时间和条件下进行重点控制和管理,以使其施工过程处于良好的控制状态。

质量控制点设置的范围很广,凡是对工程质量有影响的因素均可作为质量控制点,如人的因素、物的因素、材料因素、施工操作、施工顺序、施工时间、质量通病、技术参数、施工难度较大的重要部位和环节等,均可作为质量控制点,对其进行重点控制。

2)质量控制点设置的原则

质量控制点的选择应根据工程项目的特点、质量的要求、施工工艺的难易程度、施工队伍的素质和技术操作水平等因素,进行全面分析后确定。在一般情况下,选择质量控制点的基本原则是:

(1)重要的和关键性的施工环节和部位。

(2)质量不稳定、施工质量没有把握的施工内容和项目。

(3)施工难度大的施工环节和部位。

(4)质量标准或质量精度要求高的施工内容和项目。

(5)对工程项目的安全和正常使用有重要影响的施工内容和项目。

(6)对后续工序的质量或安全有重要影响的施工内容和项目。

(7)对施工质量有重要影响的技术参数。

(8)某些质量控制指标。

(9)可能出现常见的质量通病的施工内容或项目。

(10)采用新材料、新技术、新工艺施工时的工序操作。

对于一个分部、分项工程,究竟应该设置多少个质量控制点,应根据施工的工艺、施工的难度、质量标准和施工单位的情况来决定。

3)质量控制点的实施

在分部、分项工程施工前,施工单位应制定施工计划,选定和设置质量控制点,并且在随后制定的质量计划中明确哪些是见证点、哪些是停止点,然后提交给监理工程师审批。如果监理工程师对施工计划、质量计划以及见证点、停止点的选定和设置有不同意见,可以用现场通知的书面方式通知单位修改。

在质量控制点选择和确定以后,应对每个质量控制点进行控制措施的设计,其步骤及内容包括:列出质量控制点明细表,设计控制点的施工流程图,应用因果分析方法进行工序分析,找出工序的支配性要素,制定工序质量表,对各支配性要素规定出明确的控制范围和控制要求,编制保证质量的作业指导书,绘制作业网络图。监理工程师应对上述质量控制措施进行审查。

质量控制点的实施方法分为:进行控制措施交底,按作业指导书进行操作,认真记录;检查结果,运用统计方法不断分析改进,以保证质量控制点的质量符合要求。在对质量控制点的实施中,监理人员应在现场重点监督、检查和指导。

第四章　进度控制

第一节　概　述

一、进度控制的概念

所谓工程建设的进度控制,是指对工程项目各建设阶段的工作内容、工作程序、持续时间和衔接关系编制计划,将该计划付诸实施,在实施的过程中经常检查实际进度是否按计划要求进行,对出现的偏差分析原因,采取补救措施或调整、修改原计划,直至工程竣工,交付使用。进度控制的最终目的是确保项目进度目标的实现,建设项目进度控制的总目标是建设工期。

进度控制是工程项目建设中与质量控制、投资控制并列的三大目标之一。它们之间有着相互依赖和相互制约的关系:进度加快,需要增加投资,但工程能提前使用就可以提高投资效益;进度加快有可能影响工程质量,而质量控制严格,则有可能影响进度;但如因质量的严格控制而不致返工,正确处理好进度、质量和投资的关系,则会提高工程建设的综合效益。特别是对一些投资比较大的工程,如何保进度目标的实现往往对经济效益产生很大影响,尤其需要加以注意。工程进度控制的程序如图 4-1 所示。

二、进度控制的影响因素

由于建设项目具有庞大、复杂、周期长、相关单位多等特点,所以影响进度的因素很多,要有效地进行控制,就必须对影响进度的各种因素进行全面的分析和预测。

影响建设项目进度的因素,可归纳为人的因素,技术因素,材料、设

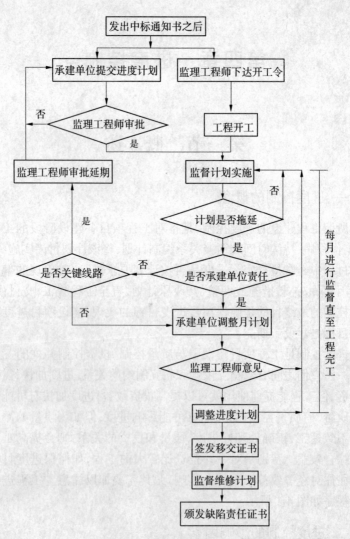

图 4-1 工程进度控制流程

备与构配件因素,机具因素,资金因素,水文、地质与气象因素,其他环境、社会因素以及其他难以预料的因素等。其中,人的因素影响最大。从产生的根源来看,有来源于建设单位及上级机构的,有来源于设计、施工及供货单位的,也有来源于监理单位本身的。常见的影响因素如下：

(1)因业主使用要求改变或设计不当而进行设计变更。

(2)业主应提供的场地条件不能及时或不能正常满足工程需要，如施工临时占地申请手续未及时办妥等。

(3)勘察资料不准确，特别是地质资料错误或遗漏，而由此引起未能预料的技术障碍。

(4)设计、施工中采用不成熟的工艺，技术方案失当。

(5)图纸供应不及时、不配套或者出现差错。

(6)外界配合条件有问题，如交通运输受阻，水、电供应条件不具备等。

(7)计划不周，导致停工待料和相关作业脱节，工程无法正常持续进行。

(8)各单位、各专业、各工序间交接、配合上出现矛盾，打乱了计划安排。

(9)材料、构配件、机具、设备供应环节出现差错，品种、规格、数量、时间不能满足工程的需要。

(10)受地下埋藏文物的保护、处理的影响。

(11)社会干扰，如外单位邻近工程施工干扰，节假日交通、市容整顿的限制等。

(12)安全、质量事故的调查、分析、处理及争执的调解、仲裁等。

(13)向有关部门提出各种申请审批手续的延误。

(14)业主资金方面的问题，如未及时向施工单位或供应商拨款。

(15)突发事件的影响，如恶劣天气、地震、临时停水停电、交通中断、社会动乱等。

(16)业主越过监理职权无端干涉，造成指挥混乱。

产生各种干扰的原因可分为以下三种情况：

(1)错误地估计了项目的特点及项目实现的条件，包括过高地估计了有利因素和过低地估计了不利因素，甚至对项目风险缺乏认真分析。

(2)项目决策、筹备与实施中各有关方面工作上的失误。

(3)不可预见事件的发生。

按照干扰的责任及其处理方法,可将影响因素分为以下两大类:

(1)由于承包商自身的原因造成的工期延长,称之为工程延误。此种情况下,一切损失由承包商自己承担。同时,由于工程延误造成工期延长,承包商还要向业主支付误期损失赔偿费。

(2)由于承包商以外的原因造成的工期延长,称之为工程延期。经过监理工程师批准的工程延期,所延长的时间属于合同工期的一部分,即竣工的时间等于标书中规定的时间加上监理工程师批准的工期延期的时间。

可能导致工程延期的原因主要有工程量的增加、未按时向承包商提供设计图纸、恶劣的气候条件、业主的干扰和阻碍等。总的原则是,对承包商自身以外的任何原因造成的工期延长或中断,监理工程师可按有关规定,通过一定的申报与审批程序,批准工程延期。

三、进度控制的方法与措施

(一)进度控制的方法

控制工程进度,有多种具体的方法,主要适用的有行政方法、经济方法和管理技术方法。

1.行政方法

用行政方法控制进度,是指上级单位及上级领导、本单位的领导,利用其行政地位和权力,通过发布进度指令,进行指导、协调、考核,利用激励(奖、罚、表扬、批评)、监督、督促等方式进行进度控制。

使用行政方法进行进度控制,优点是直接、迅速、有效,但要提倡科学性,防止主观、武断、片面地瞎指挥。

行政方法控制进度的重点应当是对进度控制目标的决策和指导,在实施中应由实施者自己进行控制,尽量减少行政干预。

国家通过行政手段审批项目建议书和可行性研究报告,对重大项目或大中型项目的工期决策,批准年度基本建设计划,制定工期定额,以及招投标办公室批准标底文件中的开、竣工日期和总工期等,都是行之有效的控制进度的行政方法。

2.经济方法

进度控制的经济方法是指有关部门和单位用经济类手段对施工进度进行影响和制约,主要有以下几种:

(1)建设单位通过资金的投放速度控制工程项目的实施进度。

(2)在承包合同中写进有关工期和进度的条款。

(3)建设单位通过招标的进度优惠条件鼓励施工单位加快进度。

(4)建设单位通过工期提前奖励和延期罚款实施进度控制。

(5)通过物资的供应进行控制。

3.管理技术方法

进度控制的管理技术方法主要是监理工程师的规划、控制和协商。所谓规划,就是确定项目的总进度目标和分进度目标;所谓控制,就是在项目进展的全过程中,进行计划进度与实际进度的比较,发现偏离,就及时采取措施进行纠正;所谓协商,就是协调参加单位之间的进度关系。

(二)进度控制的措施

进度控制的措施包括下面五种。

1.组织措施

落实人员、制定制度、进行制度分析。

2.技术措施

通过技术手段缩短持续时间、间隙(如加早强剂),加快进度,重编进度计划。

3.合同措施

多分标段、设定奖罚方式。

4.经济措施

增加投入、加速资金支付。

5.信息管理措施

及时进行比较。

四、项目实施阶段进度控制的任务

项目实施阶段进度控制的重要任务包括设计前的准备阶段进度控

制的任务、设计阶段进度控制的任务以及施工阶段进度控制的任务等。

设计前的准备阶段进度控制的任务是：向建设单位提供有关工期的信息，协助建设单位确定工期总目标；编制项目总进度计划；编制准备阶段详细工作计划，并控制该计划的执行；施工现场条件调研和分析等。

设计阶段进度控制的任务是：编制设计阶段工作进度计划，并控制其执行；编制详细的出图计划，并控制其执行等。

施工阶段进度控制的任务是：编制施工总进度计划，并控制其执行；编制施工年、季、月实施计划，并控制其执行等。

监理工程师不仅要审核设计单位和施工单位提交的进度计划，还要编制进度计划。调整进度计划，采取有效措施，确保进度计划目标的实现。

第二节　进度计划的编制

一、横道图的编制

(一)横道图的概念

横道图是一种以时间为横坐标，并用带时间比例的水平横道线表示对应项目或工序持续时间的施工进度计划图表(如图 4-2 所示)。这种图表的最大特点是由两大部分组成：左边部分是以分项工程或施工工序为主要内容的表格，包括了各分项工程或施工工序名称、工程数量、定额劳动量等计算数据；右边部分是指示图表，它是由左面表格中的有关数据经计算得到的，在指示图表中以横道线条形象地表现出各分项工程或施工工序的施工进度。

利用横道图来编制进度计划，有编制容易、简单明了、直观易懂，并便于检查和计算资源等优点。但是，作为一种计划编制的工具，它也有以下不足之处：

(1)不易看出各工作之间的关系。

(2)反映不出哪些工作决定了总的工期，更看不出各项工作是否有机动时间。

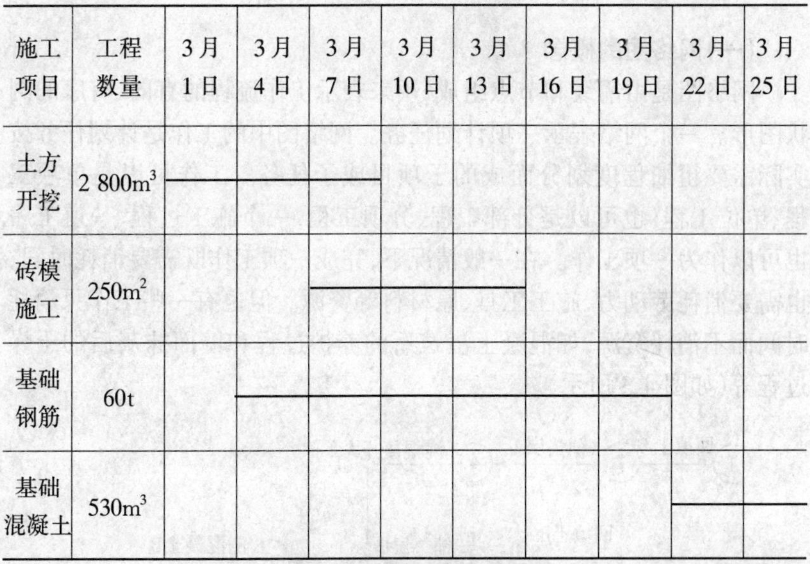

施工项目	工程数量	3月1日	3月4日	3月7日	3月10日	3月13日	3月16日	3月19日	3月22日	3月25日
土方开挖	2 800m³									
砖模施工	250m²									
基础钢筋	60t									
基础混凝土	530m³									

图 4-2 施工生产横道图

(3)不能实现定量分析,无法分析各工作之间的相互制约的数量关系。

(4)在计划有偏差时,不能进行简单而迅速的调整。

(5)无法进行方案的比选。

2.横道图的编制步骤

横道图的编制有以下六个步骤:

(1)确定施工过程或主要的分项工作。

(2)计算工程量。

(3)确定劳动量与施工机械台班数量。

(4)确定各施工过程或主要分项工作的作业天数及开始与结束时间。

(5)编制进度计划。

(6)编制资源计划。

二、网络图的编制

(一)网络图的概念

网络图是由箭线和节点组成,用来表示工作流程的有向、有序的网状图形。一个网络表示一项计划任务。网络图中的工作是计划任务按实际需要粗细程度划分而成的子项目或子任务。工作可以是单项工程、单位工程,也可以是分部工程、分项工程,一个施工过程、一道工序也可以作为一项工作。在一般情况下,完成一项工作既需要消耗时间,也需要消耗劳动力、施工工具、原材料等资源。但也有一些工作只消耗时间而不消耗资源,如混凝土浇筑后的养护过程和墙面抹灰后的干燥过程等(如图4-3所示)。

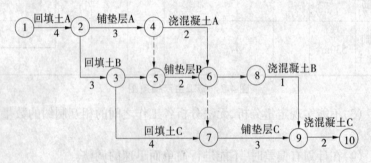

图4-3 施工网络图

1.网络图表示

网络图有双代号网络图和单代号网络图两种。双代号网络图又称为箭线式网络图,它是以箭线表示工作,节点表示工作的开始或结束以及工作之间的连接状态。单代号网络图又称节点式网络图,它是以节点表示工作,箭线表示工作之间的逻辑关系。网络图中工作的表示方法如图4-4所示。

网络图中的节点必须都有编号,其编号严禁重复,并应使每一条箭线上箭尾节点编号小于箭头节点编号。

在双代号网络图中,一项工作必须有唯一的一条箭线和相应的一对不重复出现的箭尾、箭头节点编号。因此,一项工作的名称可以用其

(a)双代号表示法   (b)单代号表示法

图4-4　网络图表示方法

箭尾和箭头节点编号来表示。而在单代号网络图中,一项工作必须有唯一的一个节点及相应的一个代号,该工作的名称可以用其节点编号来表示。

在双代号网络图中,有时存在虚箭线,虚箭线不代表实际工作,我们称之为虚工作。虚工作只表示相邻两项工作之间的逻辑关系,它既不消耗时间,也不消耗资源。

在单代号网络图中,虚工作只能出现在网络图的起始节点或终点节点处。

2.逻辑关系

工作之间的先后顺序关系称为逻辑关系。逻辑关系包括工艺关系和组织关系。

1)工艺关系

生产性工作之间由工艺过程决定的、非生产性工作之间由工作程序决定的先后顺序关系称为工艺关系。

2)组织关系

工作之间由于组织安排需要或资源(劳动力、原材料、施工工具等)调配需要而规定的先后顺序关系称为组织关系。

3.紧前工作、紧后工作和平行工作

1)紧前工作

在网络图中,相对于某些工作而言,紧排在该工作之前的工作称为该工作的紧前工作。在双代号网络图中,工作和其紧前工作之间可能有虚工作存在。

2)紧后工作

在网络图中,相对于某工作而言,紧排在该工作之后的工作称为该工作的紧后工作。

3)平行工作

相对于某工作而言,可以与该工作同时进行的工作即为该工作的平行工作。

4. 线路、线路段和关键线路

1)线路

网络图中从起始节点开始,顺箭头方向经过一系列箭线与节点,最后到达终点节点所经过的通路称为线路。

2)线路段

网络图中线路的一部分称为线路段。

3)关键线路

网络图中线路长度(该线路上所有工作的持续时间总和)最长的线路称为关键线路,关键线路的长度就是网络计划的总工期。关键线路上的工作称为关键工作。在网络计划的实施过程中,关键工作的进度提前或拖延,均会对总工期产生影响。因此,关键工作是工程进度控制工作中的重点控制对象。

5. 先行工作和后续工作

1)先行工作

相对于某工作而言,自网络图起始节点至该工作之前各条线路段上的所有工作,称为该工作的先行工作。紧前工作是先行工作,但先行工作不一定是紧前工作。

2)后续工作

相对于某些工作而言,自该工作之后至网络图终点节点各条线路段上的所有工作,称为该工作的后续工作。

(二)双代号网络图的绘制

1. 双代号网络图的绘制原则

在绘制双代号网络图时,一般应遵循以下基本原则:

(1)网络图必须按照已定的逻辑关系绘制。

(2)网络图中严禁出现从一个节点出发,顺箭线方向又回到出发点的循环回路。

(3)网络图中的箭线(包括虚箭线,以下同)应保持自左向右的方向,不应出现箭头指向左方的水平箭线和箭头偏向左方的斜向箭线。若遵循这一原则绘制网络图,就不会有循环回路的出现。

(4)网络图中严禁出现双向箭头和无箭头的箭线。

(5)严禁在网络图中出现没有箭尾节点和没有箭头节点的箭线。

(6)严禁在箭线上引入或引出箭线。但当网络图的起始节点有多条向外箭线或终点节点有多条向内箭线时,为使图形简洁,可用母线法绘图。

(7)绘制网络图时,宜避免箭线交叉。当交叉不可避免时,可用过桥法或指向法表示。

(8)网络图应只有一个起始节点和一个终点节点(多目标网络计划除外)。除网络计划终点节点和起始节点外,不允许出现没有内向箭线的节点和没有外向箭线的节点。

(三)双代号时标网络计划

双代号时标网络计划是以时间为坐标绘制的网络计划。时标的形式有三种,分别是计算坐标体系(从 0 开始)、工作日坐标体系(从第 1 个工作日开始)、日历坐标体系(日历)。

1.分类

双代号时标网络计划分为早时标网络和迟时标网络两种。

早时标网络是从最早开始时间开始,把全部的紧前工作画完后,按最后的时间坐标画下一个工作,不足用波浪线补齐,虚工作的水平段也用波浪线补齐,波浪线的长度就是本工作与下一工作的时间间隔,其最小值为自由时差。

迟时标网络是从最迟完成时间开始,把全部的紧后工作画完后,按最前的时间坐标画下一个工作,不足用波浪线补齐,虚工作的水平段也用波浪线补齐,波浪线的长度就是可确定本工作的迟自由时差。

2.绘制方法

1)间接绘制法

先绘出时标网络图,并确定关键线路,再画时标网络计划。

2)直接绘制法

(1)将起始节点定位在时标的起始刻度线上。

(2)按工作持续时间在时标表上绘制以网络计划起始节点为开始节点的工作的箭线。

(3)其他工作的开始节点必须在该工作的全部的紧前工作都绘出后,定位在这些紧前工作最晚完成的时间刻度上。某些工作的箭线长度不足以达到该节点时,用波形线补足,箭头画在波形线与节点连接处。

(4)用上述方法自左向右依次确定其他节点位置,直至网络计划终点节点定位绘完。网络计划的终点节点是在无紧后工作的工作全部绘出后,定位在最晚完成的时间刻度上。

时标网络计划的关键线路可自终点节点逆箭线方向朝起点节点逐次进行判定:自始至终都不出现波形线的线路即为关键线路。

第三节　进度调控

为了使工程建设项目在合同规定的期限内顺利完成,投资效益更快更充分地发挥作用,监理工程师必须制定一个详细的施工阶段的进度控制计划。

一、施工阶段进度控制目标的确定

为了提高进度计划的预见性和进度控制的主动性,在确定施工进度控制目标时,必须全面细致地分析与工程项目进度有关的各种有利因素和不利因素。只有这样,才能制定出一个科学、合理的进度控制目标。确定施工进度控制目标的重要依据有:工程建设总进度目标对施工工期的要求,工期定额、类似工程项目的实际进度,工程难易程度和工程条件的落实情况等。

在确定施工进度分解目标时,还要考虑以下几个方面:

(1)对于大型工程建设项目,应根据尽早提供可动用单元的原则,集中力量分期分批建设,以便尽早投入使用,尽快发挥投资效益。

(2)合理安排土建与设备的综合施工。要按照它们各自的特点,合理安排土建施工与设备基础、设备安装的先后顺序及搭接、交叉或平行作业,明确设备工程对土建工程的要求和土建工程为设备工程提供施工条件的内容及时间。

(3)结合本工程的特点,参考同类工程建设的经验来确定施工进度目标。避免只按主观愿望盲目确定进度目标,从而在实施过程中造成进度失控。

(4)做好资金供应能力、施工力量配备、物资(材料、构配件、设备)供应能力与施工进度需要的平衡工作,确保工程进度目标的要求而不使其落空。

(5)考虑外部协作条件的配合情况,包括施工过程中及项目竣工所需的水、电、气、通讯、道路及其他社会服务项目的满足程度和满足时间,它们必须与有关项目的进度目标相协调。

(6)考虑工程项目所在地区的地形、地质、水文、气象等方面的限制条件。

二、施工阶段进度控制的工作内容

监理工程师对工程项目的施工进度控制从审核承包单位提交的施工进度计划开始,直至工程项目保修期满为止,其工作内容主要有编制施工进度控制工作细则、编制或审核施工进度计划、下达工程开工令、监督施工进度计划的实施、组织现场协调会等。

1. 编制施工进度控制工作细则

施工进度控制工作细则的主要内容有:

(1)施工进度控制目标分解图。

(2)施工进度控制的主要工作内容和深度。

(3)进度控制人员的具体分工。

(4)与进度控制有关的各项工作的时间安排及工作流程。

(5)进度控制的方法,包括进度检查日期、数据收集方式、进度报表格式、统计分析方法等。

(6)进度控制的具体措施,包括组织措施、经济措施及合同措施等。

(7)施工进度控制目标实现的风险分析。

(8)尚待解决的其他有关问题。

2.编制或审核施工进度计划

对于大型工程项目,由于单项工程较多、施工工期长,且采取分期分批发包,有一个负责全部工程的总承包单位时,监理工程师就要负责编制施工总进度计划;当工程项目由若干个承包单位平行承包时,监理工程师也有必要编制施工总进度计划。施工总进度计划应确定分期分批的项目组成,各批工程项目的开工、竣工顺序及时间安排,以及全场性准备工程,特别是首批准备工程的内容与进度安排等。

施工进度计划审核的内容主要有:

(1)进度安排是否符合工程项目建设总进度计划中总目标和分目标的要求,是否符合施工合同中开、竣工日期的规定。

(2)施工总进度计划中的项目是否有遗漏,分期施工是否满足分批动用需要和配套动用的要求。

(3)施工顺序安排是否符合施工程序的要求。

(4)劳动力、材料、构配件、机具和设备的供应计划是否能保证进度计划的实现,供应是否均衡,需求高峰期是否有足够能力实现计划供应。

(5)业主的资金供应能力是否能满足进度需要。

(6)施工进度的安排是否与设计单位的图纸供应进度相一致。

(7)业主应提供的场地条件及原材料和设备,特别是国外设备的到货与进度计划是否衔接。

(8)总分包单位分别编制的各项单位工程施工计划之间是否相协调,专业分工与计划衔接是否明确合理。

(9)工程施工进度安排是否合理,是否有造成业主违约而导致索赔的可能存在。

如果监理工程师在审查施工进度计划的过程中发现问题,应及时向承包单位提出书面修改意见,并协助承包单位修改。其中发现的重大问题应及时向业主汇报。

尽管承包单位向监理工程师提交施工进度计划是为了听取建设性

的意见,但施工进度计划一经监理工程师确认,即应当视为合同文件的一部分。它是以后处理承包单位提出工程延期或费用索赔的一个重要依据。

3. 按年、季、月编制工程综合计划

在按计划编制的进度计划中,监理工程师应着重解决各承包单位施工进度计划之间、施工进度计划与资源保障计划之间及外部协调条件的延伸计划之间的综合平衡与相互衔接问题,并根据上期计划与资源保障计划的完成情况对本期计划作必要的调整,从而作为承包单位近期执行的指令性计划。

4. 下达工程开工令

在 FIDIC 合同条件下,监理工程师应根据承包单位和业主双方关于工程开工的准备情况,选择合适的时机发布工程开工令。工程开工令的发布要尽可能及时,因为从发布工程开工令之日算起,加上合同工期后即为工程竣工日期。如果开工令发布拖延,就等于推迟了竣工时间,甚至可能引起承包单位的索赔。

为了检查双方的准备情况,在一般情况下应由监理工程师组织召开由业主和承包单位参加的第一次工地会议。业主应按照合同规定,做好征地拆迁工作,及时提供施工用地。同时,还应当完成法律及财务方面的手续,以便能及时向承包单位支付工程预付款。承包单位应当将开工所需要的人力、材料及设备准备好,同时还要按合同规定为监理工程师提供各种条件。

5. 协助承包单位实施进度计划

监理工程师要随时了解施工进度计划执行过程中所存在的问题,并帮助承包单位予以解决,特别是承包单位无力解决的内外关系协调问题。

6. 监督施工进度计划的实施

这是工程项目实施阶段进度控制的经常性工作。监理工程师不仅要及时检查承包单位报送的施工进度报表和分析资料,同时还要进行必要的现场实地检查,核实所报送的已完项目时间及工程量,杜绝虚报现象。

在对工程实际进度资料进行整理的基础上,监理工程师应将其与计划进度相比较,从而判定实际进度是否出现偏差。如果出现进度偏差,监理工程师应进一步分析此偏差对进度控制目标的影响及其产生的原因,以便研究对策,提出纠偏措施。必要时还应对后期工程进度计划作适当的调整。

7.组织现场协调会

监理工程师应每月、每周定期组织召开不同层次的现场协调会议,以解决工程施工过程中的相互协调配合问题。

在平行、交叉施工单位多,工序交接频繁且工期紧迫的情况下,现场协调会甚至需要每日召开。在会上通报和检查当天的工程进度,确定薄弱环节,部署当天的赶工任务,以便为次日正常施工创造条件。

对于某些未曾预料的突发变故或问题,监理工程师还可以通过紧急协调指令,督促有关单位采取应急措施维护工程施工的正常秩序。

8.签发工程进度款支付凭证

监理工程师应对承包单位申报的已完分项工程量进行核实,在其质量通过检查验收后签发工程进度款支付凭证。

9.审批工程延期

1)工期延误

当出现工期延误时,监理工程师有权要求承包单位采取有效措施加快施工进度。如果经过一段时间后,实际进度没有明显改进,仍然落后于计划进度,而且将影响工程按期竣工时,监理工程师应要求承包单位修改进度计划,并提交监理工程师重新确认。

监理工程师对修改后的施工进度计划的确认,并不是对工程延期的批准,他只是要求承包单位在合理的状态下施工。因此,监理工程师对进度计划的确认,并不能解除承包单位应负的责任,承包单位要承担赶工的全部额外开支和误期损失赔偿。

2)工程延期

如果由于承包单位以外的原因造成工期拖延,承包单位有权提出延长工期的申请。接到承包单位延长工期的申请后,监理工程师应根据合同规定,审批工程延期时间。经监理工程师核实的工程延期时间,应纳入合同工期,作为合同工期的一部分,即新的合同工期应等于原定的合同工期加监理工程师批准的工程延期时间。

对于施工进度的拖延,监理工程师是否批准为工程延期,对承包单位和业主都十分重要。如果施工进度的拖延被监理工程师批准为工程延期,承包单位不仅可以不赔偿由于工期延长而支付的误期损失费,而且还要由业主承担由于工期延长所增加的费用。因此,监理工程师应按照合同的有关规定,公正地区分工程延期与工期延误,并合理地批准工程延期时间。

10.向业主提供进度报告

监理工程师应随时整理进度资料,并做好工程记录,定期向业主提交工程进度报告。

11.督促承包单位整理技术资料

监理工程师应当根据工程进展情况,督促承包单位及时地整理有关技术资料。

12.审批竣工申请报告,协助组织竣工验收

当工程竣工后,监理工程师应审批承包单位在自行预验的基础上提交的初验申请报告,组织业主和设计单位进行初验。在初验通过后,填写初验报告及竣工验收申请书,并协助业主组织工程项目的竣工验收,编写竣工验收报告书。

13.处理争议和索赔

在工程结算过程中,监理工程师要处理有关争议和索赔问题。

14.整理工程进度资料

在工程完工以后,监理工程师应将工程进度资料收集起来,进行归纳、编目和建档,以便为今后其他类似工程项目的进度控制提供参考。

15.工程移交

监理工程师应督促承包单位办理工程移交手续,颁发工程移交证书。在工程移交后的保修期内,还要处理验收后质量问题的原因及责任等争议问题,并督促责任单位及时修理。当保修期结束且再无争议时,工程项目进度控制的任务即告完成。

三、施工进度计划实施中的检查与调整

施工进度计划由承包单位编制完成后,应提交给监理工程师审查,待监理工程师审查确认后即可付诸实施。承包单位在执行施工进度计划的过程中,应接受监理工程师的监督与检查;而监理工程师应定期向业主报告工程进度状况。

(一)施工进度检查

1.施工进度检查的方式

在工程项目的施工过程中,监理工程师可以通过以下方式获得工程的实际进展情况。

1)定期地、经常地收集由承包单位提交的有关进度报表资料

工程施工进度报表资料不仅是监理工程师实施进度控制的依据,同时也是其核发工程进度款的依据。在一般情况下,进度报表格式由监理单位提供给施工单位,施工承包单位按时填写后交给监理工程师核查。报表的内容根据施工对象及承包方式的不同而有所区别,但一般应包括工作的开始时间、完成时间、持续时间、逻辑关系、实物工程量和工作量,以及工作时差的利用情况。承包单位若能准确地填报进度报表,监理工程师就能从中了解工程项目的实际进度情况。

2)由驻地监理人员现场跟踪检查项目的实际进展情况

为了避免施工承包单位超报已完工程量,驻地监理人员有必要进行现场实地检查和监督。至于每隔多长时间检查一次,应视工程项目的类型、规模、监理范围及施工现场的条件等多方面的因素而定,可以每月或每半个月检查一次,也可以每旬或每周检查一次。如果在某一施工阶段出现不利情况,甚至需要每天检查。

除了上述两种方式外,由监理工程师定期组织现场施工的负责人召开现场会议,也是获得工程项目实际进展情况的一种方式。

2.施工进度检查的方法

施工进度检查的重要方法是对比法。

通过检查分析,如果进度偏差比较小,应在分析其产生原因的基础上采取有效措施,解决矛盾,排除障碍,继续执行原进度计划。如果通

过努力,确实不能按原计划实现时,再考虑对原计划进行必要的调整,即适当延长工期或改变施工速度。计划的调整一般是不可避免的,但应当慎重进行,尽量减少变更计划性的调整。

(二)施工进度计划的调整

施工进度计划的调整方法有两种:一是通过压缩关键工作的持续时间来缩短工期;二是通过组织搭接作业或平行作业来缩短工期。在实际工作中,应根据具体情况选用上述方法进行计划的调整。

在缩短关键工作的持续时间时,通常需要采取一定的措施来达到目的。具体措施包括组织措施、技术措施、经济措施及其他配套措施。

1.组织措施

(1)增加工作面,组织更多的施工队伍。

(2)增加每天的施工时间(如采用三班制等)。

以增加劳动力和施工机械的数量,然后再作出最后决定的办法,既可以保证有充足的时间来处理延期事件,又可以避免由于处理不及时而造成不应有的损失。

2.技术措施

(1)改进施工工艺和施工技术,缩短工艺技术间歇时间。

(2)采用更先进的施工方法以减少施工过程的数量(如将现浇框架方案改为预制装配方案)。

(3)采用更先进的施工机械。

3.经济措施

(1)实行包干奖励。

(2)提高奖金数额。

(3)对所采取的技术措施给予相应的经济补偿。

4.其他配套措施

(1)改善外部配合条件。

(2)改善劳动条件。

(3)实施强有力的调度。

第五章 投资控制

第一节 概 述

一、投资的概念

所谓工程建设项目投资,一般是指某项工程建设花费的全部费用,即该工程项目有计划地进行固定资产再生产、形成相应无形资产和铺底流动资金的一次性费用总和。它主要由设备工器具购置投资、建筑安装工程投资和工程建设其他投资组成。

设备工器具购置投资是指按照建设项目设计文件要求,建设单位(或其委托单位)购置或自制达到固定资产标准的设备和新、扩建项目配套的首套工器具及生产工器具所需的投资。它由设备工器具原价和包括设备成套公司服务费在内的运杂费组成。在生产性建设项目中,设备工器具投资可称为"积极投资"。它占项目投资费用比重的提高,标志着技术的进步和生产部门有机构成的提高。

建筑安装工程投资是指建设单位用于建筑和安装工程方面的投资,包括用于建筑物的建造及有关准备、清理等工程的投资。用于需要安装设备的安置、装配工程的投资,是以货币表现的建筑安装工程施工的价值,其特点是必须通过兴工动料、追加活劳动才能实现。在工程项目决策以后的施工阶段,设计施工图确定,此时的工程投资称为工程项目造价更符合实际情况。

工程建设其他投资是指未纳入以上两项的、由项目投资支付的、为保证工程建设顺利完成和交付使用后能够正常发挥效用而发生的各项费用的总和。它可分为五类:

(1)土地转让费。包括土地征用及迁移补偿费、土地使用权出让金。

(2)与项目建设有关的费用。包括建设单位管理费、勘察设计费、研究试验费、财务费用(如建设期贷款利息)等费用。

(3)与未来企业生产经营有关的费用。包括联合试运转费、生产准备费等费用。

(4)预备费。包括基本预备费和工程造价调整预备费。

(5)应缴纳的固定资产投资方向调节税。

二、投资控制

建设工程投资的有效控制是工程建设管理的重要内容。评价一项技术先进、实用可靠、经济合理的建设工程,条件之一是实际工程造价应在批准的投资限额之内,在建设全过程各个阶段对工程投资进行控制。

(一)投资控制的阶段

所谓分阶段控制,就是将建设全过程的工程投资分为若干个不同阶段进行,一般可分为投资决策阶段(建设前期阶段、设计准备阶段)、设计阶段、招标发包阶段、施工阶段、竣工验收阶段、保修阶段。

(二)投资控制的方法与措施

1.控制方法

进行动态控制,分为主动控制和被动控制。主动控制是指在已明确计划目标值时(如已知设计总概算作为总目标),对影响计划目标实现的因素预先分析,估计目标偏离的可能性,采取预防措施;被动控制是指在项目实施过程中,以控制循环理论为指导,及时采取纠偏措施,再发现偏离,再采取纠偏措施,最终确保工程投资控制总目标的实现。

2.控制措施

在建设过程中,使技术和经济相结合是控制投资的有效手段,工程投资控制不仅是经济管理部门的工作,还是施工技术部门的工作;既要使技术人员参与造价控制,又要使经济人员懂得工程技术。对工程投资控制一般采取以下几个方面的措施:

(1)组织措施。建立投资控制组织保证体系,有明确的项目组织结构,使投资控制由专门的机构和人员管理,任务职责明确。

(2)技术措施。应用技术措施于设计、施工阶段应进行多方案比选,严格审查初步设计、施工图设计、施工组织设计和施工方案,严格控制设计变更,研究采取措施节约投资。

(3)经济措施。推行经济承包责任制,将计划目标值进行分解,并落实到基层,动态地对工程投资控制的计划值与实际支出值比较分析,严格控制各项费用的审批和支付,对节约投资采取奖励措施。

(4)合同措施。通过合同条款的制定,明确和约束在设计、施工阶段控制工程投资,不突破计划目标值。

(5)信息管理。采用计算机辅助工程造价管理。

(三)投资控制的目标

工程投资控制目标设置是随不同建设阶段的实施而制定的,一般将初步总投资估算作为选择设计方案、编制总体估算和设计总概算的造价控制目标,设计总概算是设计阶段编制、修正总概算和施工预算的投资控制目标,施工图预算、建筑安装工程合同价、设备定货合同价是施工阶段控制建筑安装工程投资和设备投资的控制目标,投资包干基数是建设单位与主管部门、建设单位与设计及施工等单位或建设单位内部在建设实施阶段的工程投资或费用的控制目标。

以上不同阶段的控制目标是相互制约、相互补充的,前者控制后者,后者补充前者,共同组成投资控制目标体系,以确保实际支出值控制在计划目标值之内。

(四)投资控制工作流程

投资控制的工作流程如图 5-1 所示。

关于不同建设阶段对项目投资影响程度,根据研究可知,投资决策(设计准备)阶段对项目投资影响达 95%～100%,初步设计阶段的影响为 75%～95%,技术设计阶段的影响为 35%～75%,施工图设计阶段的影响为 5%～35%,施工阶段的影响仅为 10%以下。

综上可知,项目投资控制关键在于施工之前的投资决策阶段和设计阶段。当投资决策确定后,施工设计质量对项目投资影响起着重要的作用。

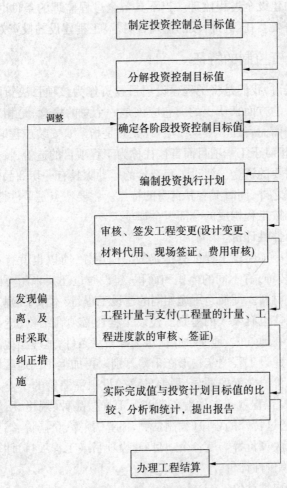

图 5-1 投资控制工作流程

但是多年以来,我国在建设项目的建设前期(投资决策、设计准备)阶段的投资控制工作由于种种原因控制得不够理想,对设计阶段的监督控制措施很不完善,设计单位也不习惯被监督,投资控制的重点一般都放在施工阶段,今后应扭转这种做法。在推行建设监理工作时,提倡从建设前期阶段、设计阶段、招标承包阶段、施工阶段、竣工验收阶段和保修阶段的建设全过程监理。当不具备全过程监理的条件时,建设单位可根据需要委托部分阶段的监理,以提高工程建设的投资效益。

三、投资控制的特征

一般来讲,我们是将工程建设项目投资作为该项目决策阶段的一个非常重要的方面来认识的。它应该是一个总的概念,是相对于投资部门或投资商而言的。一旦该项目(尤其是指建筑安装工程时)已进入实施阶段,相对于工程项目而言往往称为工程项目的造价,特指建筑安装工程所需要的资金。建设工程造价的运动除具有一切商品价格运动的共同特点之外,同时又有其自身的特点。主要特点是单件性计价、多次性计价和按工程构成的分部组合计价。

(一)单件性计价

因为每一项建设工程都有指定的专门用途,所以也就有不同的结构、造型和装饰,有不同的体积和面积,建设时也还要采用不同的工艺设备和建筑材料。即便是用途相同的建设工程,技术水平、建筑等级和建筑标准往往也有很大的差别。建设工程还必须在结构、造型等方面适应工程所在地气候、地质、地震、水文等自然条件,适应当地的风俗习惯。这就使建设工程的实物形态千差万别。再加上不同地区构成投资费用的各种价值要素的差异,最终导致建设工程造价的千差万别。因此,对于建设工程就不能像对工业产品那样按品种、规格、质量成批地定价,只能通过特殊的程序(编制估算、概算、预算、合同价、结算价及最后确定竣工决算价等),就各个项目(建设项目或工程项目)计算建设工程造价,即单价性计价。

(二)多次性计价

建设工程的生产过程是一个周期长、数量大的生产消费过程,包括可行性研究在内的设计过程一般较长,而且要分阶段进行,逐步加深。为了适应工程建设过程中各方经济关系的建立,适应项目管理的要求,适应工程造价控制和管理的要求,需要按照设计和建设阶段进行多次计价。换句话说,也就是从投资估算、设计概算、施工预算到招标投标合同价,再到各项工程的结算价和最后确定建设工程实际造价的过程。

计价过程各环节之间相互衔接,前者制约后者,后者补充前者。

(三)按工程构成的分部组合计价

根据国家规定,工程建设项目有大、中、小型之分。凡是按照一个总体设计进行建设的各个单项工程总体即是一个建设项目。它一般是一个企业(或联合企业)、事业单位或独立的工程项目。在建设项目中,凡是具有独立的设计文件、竣工后可以独立发挥生产能力或工程效益的工程为单项工程,也可将它理解为具有独立存在意义的完整的工程项目。各单项工程又可分解为各个能独立施工的单位工程。考虑到组成单位工程的各部分是由不同的工人用不同的工具和材料完成的,可以把单位工程进一步分解为分部工程。然后,还可按照不同的施工方法、构造及规格,把分部工程更细致地分解为分项工程。分项工程是能用较为简单的施工过程生产出来的,可以用适量的计算单位计算并便于测定或计算的工程基本构造要素,也是假定的建筑安装产品。

与以上工程的形式相适应,建设工程具有分部组合计价的特点。计价时,首先要对工程建设项目进行分解,按构成进行分部计算,并逐层汇总。例如,为确定建设项目的总概算,要先计算各单位工程的概算,再计算各单项工程的综合概算,最终汇总成总概算。

四、投资控制的任务

控制是为确保目标实现而服务的。一个系统若没有目标,就不需要、也无法进行控制。目标的设置应是严肃的,设置时应有科学的依据。

工程项目的建设过程是一个周期长、数量大的生产消费过程,建设者在一定时间内所具有的经验、知识是有限的,不但常常受着科学条件和技术条件的限制,而且也受着客观过程的发展及其表现程度的限制(客观过程的方面及本质尚未充分暴露),因而不可能在工程项目伊始,就能设置一个科学的、一成不变的投资控制目标,而只能设置一个大致的投资控制目标,这就是投资估算。

随着工程建设实践、认识,再实践、再认识,投资控制目标一步步清晰、准确,这就是设计概算、设计预算、承包合同价等。也就是说,建设项目投资控制目标的设置应是随着工程项目建设实践的不断深入而分阶段设置的。具体来讲,投资估算应是设计方案选择和进行初步设计的建设项目投资控制目标,设计概算应是进行技术设计和施工图设计的项目投资控制目标,设计预算或建筑安装工程承包合同价则应是施工阶段控制建筑安装工程投资的目标。这些内部有机联系的阶段目标相互制约、相互补充,前者控制后者,后者补充前者,共同组成项目投资控制的目标系统。

五、监理工程师的基本任务

在施工阶段,监理工程师进行投资控制的基本原理是把计划投资额作为工程项目投资控制的目标值,再把工程项目建设进展过程中的实际支出额与工程项目投资目标进行比较,通过比较找出实际支出额与投资控制目标值之间的偏差,并采取切实有效的措施加以控制。其具体工作内容是:审查承建单位提出的施工组织设计、施工技术方案和施工进度计划、财务执行计划,提出改进意见;监督、检查建设单位严格执行工程承包合同;调解建设单位与承建单位之间的争议;检查过程进度与施工质量,验收分项、分部工程,签署工程付款凭证,审查工程结算,提出竣工验收报告等。

施工阶段要及时对材料成本进行分析研究,制定工料清单及工料使用说明,提供给业主作为筹款付款依据。

工程开工后及时对工程进度进行估价,并向业主提出长期付款建议。工程进行期间,定期制定最终成本估计报告,反映施工中存在的问题及投资的支付情况。量度与制定工程变更清单,并与承包人达成费用增减的协议。

工程发生变更时,及时估算其费用变动;当承包方提出索赔时,与其进行协商,妥善处理。

经常与工程项目顾问团的其他成员紧密合作,分析投资动向,密切控制成本。办理工程竣工决算并回顾分析项目管理和执行情况。

目标既要有先进性,又要有实现的可能性,目标水平要能激发执行者的进取心,并充分发挥他们的工作潜力。若目标水平太低,如对建设项目投资高估冒算,则对建设者缺乏激励性,建设者亦没有发挥潜力的的余地,目标形同虚设;若水平太高,如在建设项目立项时投资就留有缺口,建设者一再努力也无法达到,则可能灰心丧气,使项目投资控制成为一纸空文。

第二节　施工阶段的投资控制

一、施工阶段投资控制的基本原理

施工阶段的监理一般是指在建设项目已完成施工图纸设计,并完成招投标阶段工作和签订工程承包合同以后,监理工程师对工程建设的施工过程进行的监督和控制,是监督承包商按照工程承包合同规定的工期、质量和投资额圆满地完成全部工程任务。监理工程师在施工阶段进行投资控制的基本原理是把计划投资额作为投资控制的目标值,在工程施工过程中定期地进行投资实际值与目标值的比较,通过比较发现并找出实际支出额与投资控制目标值之间的偏差,然后分析产生偏差的原因,并采取有效措施加以控制,以保证投资控制目标的实现。

二、施工阶段投资控制的任务

在施工阶段,监理工程师依据承、发包双方签订的施工合同的承包方法及合同规定的工期、质量和工程造价,按施工设计图纸及说明、有关技术标准和技术规范,对工程建设施工全过程进行监督与控制。在施工阶段进行投资控制的基本原理是:在项目施工的过程中,以控制循环理论为指导,把投资计划值作为工程项目投资控制的总目标值,把投资计划值分解作为单位工程和分部、分项工程的分目标值;在建设过程的每一个阶段或环节中,将实际支出值和投资计划值进行比较,一旦发现偏离,就立刻从组织、经济、技术和合同四个方面及时采取有效的纠偏措施加以控制。因此,在施工阶段监理工程师受建设单位委托并在合同文件中明确其监督和控制的任务是:

（一）对工程进度、工程质量检查、材料检验的监督和控制

本部分内容参见本书其他章节。

（二）对工程投资（造价）的监督和控制

（1）对实际完成的分部、分项工程量进行计量和审核，对承建单位提交的工程进度付款申请进行审核并签发付款证明来控制合同价款。

（2）严格控制工程变更，按合同规定的控制程序和计算方法确定工程变更价款，及时分析工程变更对控制投资的影响。

（3）在施工进展过程中进行投资跟踪、动态控制，对投资支出做好分析和预测，即将收集的实际支出数据整理后与投资控制值比较，并预测尚需发生的投资支出值，及时提出报告。

（4）做好施工监理记录和收集保存有关资料，依据合同条款，处理承建单位和建设单位提出的索赔事宜。

（5）对项目的工程量和投资计划值，按进度要求和项目划分层层分解到各单位工程或分部、分项工程。

（6）对施工组织设计或施工方案进行认真审查和技术经济分析，积极推广应用新工艺和新材料。

（7）促进承建单位推行项目法施工，形成项目经理对项目建设的工期、质量、成本的三大目标的全面负责制，协助承建单位改革施工工艺技术，优化施工组织。

（8）进行主动监理，帮助承建单位加强成本管理，使工程实际成本控制在合同价款之内。

三、施工阶段投资控制的措施

众所周知，建设项目的投资主要发生在施工阶段。在这一阶段中，尽管节约投资的可能性已经很小，但浪费投资的可能性却很大。因此，在这一阶段仍然要对投资控制给予足够的重视，仅仅靠控制工程款的支付是不够的，应从组织、经济、技术、合同等多方面采取措施，严格控制投资。

（一）组织措施

（1）在项目管理班子中落实投资控制的人员、任务分工和职能分工。

(2)编制本阶段投资控制工作计划和详细的工作流程图。

(二)经济措施

(1)编制资金使用计划,确定、分解投资控制目标。

(2)进行工程计算。

(3)复核工程付款账单,签发付款证书。

(4)在施工过程中进行投资跟踪控制,定期对投资实际支出值与计划目标值进行比较;发现偏差,分析产生偏差的原因,采取纠偏措施。

(5)对工程施工过程中的投资支出做好分析与预测,经常或定期向业主提交项目投资控制及其存在问题的报告。

(三)技术措施

(1)对设计变更进行技术经济比较,严格控制设计变更。

(2)继续寻找通过设计挖潜节约投资的可能性。

(3)审核承包商编制的施工组织计划,对主要施工方案进行技术经济分析。

(四)合同措施

(1)做好施工记录,保存各种文件图纸,特别是注意有实际施工变更情况的图纸,注意积累素材,为正确处理可能发生的索赔提供依据。

(2)参与合同的修改、补充工作,着重考虑它对投资控制的影响。

四、工程计量与支付的控制

工程计量是指监理工程师对承建单位按合同中规定的建设项目,按施工进度及施工图设计要求,在建设实施时,对实际完成的工作量的确认。这是由于合同中的工程数量一般是计划预测量,不是最终的工程数量,而最终的工程数量要通过工程计量而获得。

工程支付是建设单位对承建单位任何款项的支付,都必须由监理工程师出具证明,作为建设单位对承建单位支付款项的依据。因此,监理工程师在项目建设监理过程中,利用计量支付的经济手段,对投资、进度、质量进行控制和全面管理,也是监理工程师对项目采用 FIDIC 土木工程通用合同的合同管理的核心。

(一)工程计量

1. 工程计量的内容

对照合同的工程量清单(含清单序言、分项工程量清单表、清单汇总表)中的项目,根据工序或部位将对应项目标号已完成的工程量进行计算,并与工程量清单做增减对比表,计算出已完成的工程量及其工程价款。

清单序言是规定清单中各项目的计量方法及工作范围的文件。序言中规定了项目的工程量和费用的计算方法及依据,规定了价格制定应包括合同条款对价格影响的因素,未经承建单位定价的清单项目应认为包括在合同价内,还规定了单价包括的费用内容、暂估数量的使用规定、项目包括的工作范围和内容、支付款方式和条件等。

工程计算时,由于监理工程师发出的工程变更指令是属于合同文件的组成部分,所以工程变更项目亦属合同规定的项目。当变更项目完成时需及时计量,并填写工程量清单增减表。

工程计量的必要条件是已完成的工程必须在质量上达到合同规定的技术标准,各种试验检测数据齐全,并经过质量监理工程师验收合格,颁发工程检验认可书后方可进行计量。

2. 工程计量的程序

工程计量的方式一般由监理工程师和承建单位共同对实际完成数量进行计量,也可由监理方或承建方各自单独计量后交对方认可。由于后者为单独计量,增加了复核的工序和时间,也易产生错误,所以在实践中采用共同计量方式为佳。对于各自单独计量的程序,如计量后未经对方认可,均不符合程序,可认为无效。但提交对方后,对方在规定的时间内未予复核确认,即认为已被确认。

工程计量的程序是:承建单位在规定的时间内,向建设单位和监理工程师提交质量验收合格的已完工程计量申请报告,包括提交实际完成的工程数量及金额。监理工程师接到报告后,在规定的时间内,按施工图纸核实确认已完工程数量(简称计量),并在计量前事先通知承建单位,承建单位派人参加共同计量签字确认。承建单位无故不参加计量,监理工程师自行进行计量结果视为有效。但监理工程师事先不按规定时间通知承建单位,使承建单位不能参加计量,则计量结果无效。对承建单位要求计量的报告,如监理工程师未在规定的时间内共同计量,则承建单位报告中开列的工程量即视为已被确认。

对承建单位超出施工图纸要求增加的工程量和因其自身原因造成的返工的工程量,不予计量。

双方确认工程数量后,由承建单位填写中间计量检验单,经监理工程师复核、审定后,签发中间支付证书或工程付款证书,作为工程价款支付的依据。

(二)工程支付

1.工程支付的范围

工程支付的范围,一般包括两个部分、三种费用和九项明细,如图5-2所示。

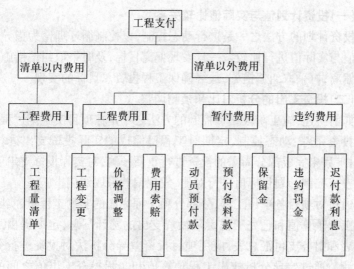

图 5-2　工程支付的范围

2.工程支付的条件

(1)对已完成的工程按工程量清单项目对照施工图,经过计量确认。

(2)质量符合技术标准要求,并经监理人员确认,开具质量检验认可书。

(3)工程变更项目必须有监理工程师签发的变更指令，

(4)对劳力、材料、施工机械等价格的调整，按合同条款规定和计算方法进行计算。

(5)费用的索赔与反索赔按合同条款规定，经监理工程师批准确认。

(6)对动员预付款、预付备料款和保留金的暂付费用，按合同条款支付和归还。

(7)违约费用按合同条款规定，根据实际发生情况对违约一方进行处理。

五、加强对项目投资支出的分析和预测

(一)投资计划值与实际值比较关系

投资计划的方法之一是进行动态控制，以控制循环理论为指导，对计划值与实际值进行比较。一旦发现偏离目标，及时采取纠偏措施，再发现偏离，再采取纠偏措施，最终确保工程投资总目标的实现。

(二)投资支出的分析对比和预测调整

如前所述，施工阶段投资控制的方法之一是在项目实施全过程中，进行投资跟踪、动态控制，定期对工程已完成的实际投资支出进行分析，对工程未完成部分尚需的投资进行重新预测，对实际投资支出值和项目投资控制计划目标值进行对比，发现偏差采取纠偏措施。

通过对项目各单位工程、分部分项工程完成的实物工程量、实际完成的工程预算值和已完工程实际投资支出的统计汇总，定期提出工程进度表和财务支付汇总表，应用项目投资差异分析法对投资进行分析和预测。通过差异分析找出工程预算值和实际投资支出值之间的偏差，从已完工程实际投资支出来预测未完工程竣工验收时尚需的投资支出，找出原因采取纠偏措施。同时，可编制项目投资、预算、进度计划综合图表，使整个工程进度和项目投资的现状和趋势明白地表示出来。

第六章　经典案例

——XX大厦工程监理案例

一、工程概况

XX大厦项目是一座多功能综合性建筑,是XX市XX大厦项目筹建处投资兴建的重点工程项目。总投资约1.2亿元,大厦共24层,其中地下2层,地上22层,主体为混凝土框筒结构,基础采用人工挖孔桩。

根据实用、美观、安全、经济的原则,本工程建筑形态突出主楼庄重、雄伟的标志性,立面注意细部处理,力求形象典雅、精致,并考虑与周围建筑群及街景等相协调。平面功能布置注重合理性、适用性。

工程结构采用围护结构,采用人工挖孔灌注桩、型钢组合结构支撑、斜拉锚杆及土钉墙等综合支护方案,天然地基采用钢筋混凝土片筏基础,地下室为钢筋混凝土箱型结构。

主体为框架—剪力筒结构系统。门厅部位采用大跨度预应力结构(13~16 m),设置双向后张法有黏结大跨度预应力梁,⑪、⑬轴与F、H轴之间设置后张法有黏结大跨度预应力梁,礼堂舞台楼板及夹层板采用无黏结大跨度预应力楼板。

设备安装方面,设备系统功能齐全,设施先进。具体可分为以下系统:

(1)给排水系统。包括消防给水、生活给水、雨水排除、污水生化处理及排水。

(2)通风空调系统。包括地下两层为送风、排风兼排烟系统,地上一~二十二层采用中央空调系统。

(3)强电系统。包括火灾自动报警及联动、安保监视、综合布线、楼宇自控、卫星电视、会议音响灯光、车库管理等。

(4)电梯系统。包括办公电梯3台,会议电梯1台。

(5)工程装饰。内外装饰工程总的设计实用、美观、大方,并根据各楼层的用途和功能要求设计不同档次的装饰。

施工过程按施工单位总分为 4 个部分:土建由一家建筑安装工程公司承包;设备安装由一家安装工程公司承包;室外装饰由一家装饰工程公司承包;室内装饰共分 5 个标,分别由不同的 5 家装饰公司承包。

二、监理组织机构

针对该大厦是当地的重点工程和标志性建筑,工程结构较复杂,工程质量标准很高,监理公司指派了由业务水平高且富有监理经验的同志担任工地总监和监理骨干的驻地监理组进驻现场。其中,总监 1 人,总监代表 1 人,进度控制 1 人,信息管理 1 人,造价与投资控制 1 人,其余 5 个名额为各阶段进场的各专业质量监理工程师或监理员,如土建阶段 2 名结构工程的监理工程师和 3 名见证试验员。同时,根据工程进度和施工阶段的需要,及时调整监理人员的专业结构,监理组始终保持有 10 人左右,全力投入现场工作。此外,监理公司的测量组、设备组、设计组的专家也经常到工地指导,帮助解决各类技术疑难问题,提供咨询意见,为业主当好参谋。

在工程监理全过程中,监理组恪守建设部颁发的《工程建设监理人员守则》等法律法规,严格依照"守法、诚信、公正、科学"的工作准则来规范自己的行为。监理人员廉洁自律,严守职业道德。同时,为了对工程建设负责,发扬了无私奉献精神,所有节假日、双休日均安排监理人员上班,在夜间施工期间还安排监理人员值班,需要旁站时安排监理人员全过程旁站(见表 6-1)。

三、基础工程质量控制

(一)围护工程

该工程地上 22 层,地下 2 层,基坑深度为 $8.15\sim10.80$m。基坑西侧为一陡坡,高出建筑场地 7.0m,确定做永久性护坡。基坑支护和永久性护坡工程经公开招标,由某地质基桩工程公司设计和施工。

表 6-1　旁站监理节点

	旁站监理的范围	旁站监理的内容
基础工程	人工挖孔桩灌注混凝土 锚杆、土钉墙钢筋隐蔽工程 基础、地下室混凝土施工 防水施工 土方回填施工	1. 是否按照技术标准、规范、规程和批准的设计文件、施工方案及交底要求施工; 2. 是否使用合格的材料、构配件和设备; 3. 施工单位有关现场人员是否在岗; 4. 施工操作人员的技术水平、操作条件是否满足施工工艺要求,特殊操作人员是否持证上岗; 5. 施工环境是否对工程质量产生不利影响; 6. 施工过程是否存在质量和安全隐患
结构工程	混凝土施工 施加预应力 施工缝处理 后浇带混凝土施工 网架施工吊装	
建筑材料的见证和取样		全过程跟踪监督
建筑设备的调试与检测		从相关规定
定位放线、沉降观测		旁站监理人员参与施工单位共同测量

1.地基土层分布

依据勘察报告,拟建场地属于二级场地。地基土层分布见表 6-2。

表 6-2　地基土层特性

层次	名称	特性	层厚 (m)	层面埋深 (m)
一	素填土	灰褐—黄褐色,可塑,表面为20cm 水泥地面	1.3～3.5	
二	粉质黏土	黄褐—灰褐色,可塑—软塑	0～6.7	
三	粉质黏土	黄褐色,可塑	2.0～8.0	
四	粉质黏土黏土	黄褐—褐黄色,可塑—硬塑,底部80cm 夹卵砾石,最大粒径 8cm	2.5～9.3	7～13.5
五	残积土	紫红—紫灰色	5.4～9.6	16～17.8

根据地下室的埋深,本工程的基础底面位于第三层粉质黏土的底层,距第四层面 1.0～2.0m。据地质报告分析可知,第三层粉质黏土土质较好且均匀,对基坑支护和基础的施工是相当有利的。

2. 基坑支护方案

ABC 段:人工挖孔桩(1~12 号)支护,桩背后混凝土拉杆。

CDE 段:人工挖孔桩(13~76 号)支护,两内角设钢架支撑。

EF 段:人工挖孔桩(77~92 号)支护,坑内桩壁设锚杆。

FG 段:人工挖孔桩(93~130 号)支护,坑内桩壁设锚杆。

GHIA 段:土钉墙(146m×8.15m)。

永久性护坡:护坡高度不大于 3m 时,采用土钉墙,墙底设底梁。护坡高度大于 3m 时,采用土钉墙、砂浆、锚杆、井字架梁。

3. 基坑支护质量监理

1)审核方案

监理组织预先审查了支护方案并报有关部门审查,同时审查了施工单位的人工挖孔桩施工方案、锚杆施工方案、土钉墙施工方案,并提出一些具体修改意见。

2)测量工作的监理

本工程的测量监理工作包括两部分,一部分是由公司测量组到工地完成的,主要是审查测量控制方案与测量仪器,复核了绝大部分放样点。具体有复测了原始基准点 II8-3891、全部的轴线控制点 4 个,包括一些重要的放样点的复核。另一部分现场放样由现场土建监理人员来完成。支护桩中心 91 个,占总数的 90%,喷锚支护开挖外口点、线占 70%,土钉标高 7 个,占 100% 等,发现支护中心桩位置偏差超标 3 点,得到了纠正。

3)材料质量

所有建筑材料进场时,由施工方向监理组报验,提交合格证、质量保证书或测试报告,并按规格和批次在监理方的见证员见证下抽样送检。试验合格后方投入使用。

4)施工质量

在施工全过程中,一是坚持跟踪监控,辗转现场,及时发现问题,及时进行协调解决。如基坑西北角发现土质有变化,在 4~5m 处出现淤泥质土,经监理组提出进行补勘,并根据补勘结果,确定实施压力注浆,加固松土层,保持了边坡支护的稳定。又如,东侧支护桩桩间距较大,开挖后又暴露时间较长,FG 地段桩间出现裂缝影响桩顶坡道,经研究确定进行挂网喷射混凝土处理,消除了隐患。二是严格工序报验、隐蔽项目验收,前道工序合格后方允许进行下道工序(具体验收见表 6-3)。

表 6-3 地基基础验收汇总

施工项目	报验工序和隐蔽工程	施工方报验次数	监理验收结果
人工挖孔	成孔(130 个)	14	合格
	钢筋笼(130 个)	14	合格
	混凝土开浇(14 次)	14	合格
土钉墙喷锚	土钉	5	合格
	锚杆(41 根)	6	合格
	分段分层喷锚支护	24	合格
钢结构支撑	立桩柱(6 个)	1	合格
	GL1、GL2	1	合格
永久性边坡	喷锚护坡	6	合格
	井字梁钢筋	6	合格
	井字梁浇筑	3	合格

基坑变形观测共布设位移观测点 24 个,观测由 2001 年 7 月 18 日至 2001 年 11 月 26 日,监理组先后进行跟踪观测 34 次。位移数值均在正常范围内,平均位移为 10mm。基坑一直保持稳定,保证了地下室施工的顺利封顶。

(二)地基和基础分部工程

本工程采用钢筋混凝土片筏基础,基础梁下凹,基础板作为地下室二层地板,基础梁为 600mm×1 800mm 和 600mm×1 700mm,在①～⑦轴基础梁加大为 800mm×1 800mm,并在基底高低变化处设置刚性墙。

地下室为钢筋混凝土箱型结构,南北长 72m,东西最宽处 66.55m,建筑面积 7 480m²,共分两层,地下二层高 3.2m 或 3.9m,地下一层高

4.55m 或 5.05m,柱、梁、墙、板钢筋混凝土强度等级为 C40。底板垫层厚度为 100～150mm,用 C10 素混凝土浇筑。底板混凝土厚 500mm,强度等级 C30,抗渗 P8。在 $J～H$ 轴线间、⑥～⑧轴线间,以及东西两侧车道边,共留有宽度为 800mm、高度为 500mm 的 4 道后浇施工缝,以此为界自然将底板分为 3 部分,分别简称为Ⅰ、Ⅱ、Ⅲ区。

地下室施工质量的控制:施工方按设计图纸施工,并对各层各区自检自测后进行报验;监理除平时现场跟踪监控外,对各工序进行复验和隐蔽验收(重要部位请业主、设计院参加);质量监督人员有时也到现场进行检查验收,合格后方可签署混凝土开浇指令。

1. 土方分项工程

基坑开挖方案是:$AIHG$ 段对宽 10m 土钉墙作业面分 6 层开挖,每层挖深 1.05～1.20m,必须与土钉墙施工密切配合,交叉作业;EFG 段支护桩施工完成后,开挖至桩顶标高,进行锚杆施工;$ABCDE$ 段分层有序开挖,不能一次挖到底。

基坑开挖过程中,监理人员重点抓了以下几项工作:

(1)开挖的质量。要求监理跟踪检查,控制开挖土层的标高和幅度;并按设计要求,在机械开挖土方至离地基 300mm 时,土方采用人工开挖并修整,严防超挖;地梁部分,宽的机挖后人工整修,窄的全由人工开挖,并注意坡度要求。

(2)开挖和支护施工的协作配合。要求各施工单位顾全大局,每日早晨开碰头会,妥善协调当日现场施工。

(3)现场安全施工和文明施工。要求及时抽干积水,排除障碍,土方及时清运,完善护栏、爬梯、防暑降温。

(4)开挖前完成基坑变形测点布设。开挖过程中定期认真观测,做好记录。整个基坑开挖顺利,为地下室工程的施工创造了条件。

2. 钢筋分项工程

地下室工程使用的钢筋品种规格共有 13 种,全部由业主方采购供应,有质量保证书(复印件)47 份。施工方在监理见证员见证下,按批量进行检测;同时,监理方单独进行检测共 16 份,全部合格。

按设计要求,钢筋焊接采用对焊和电渣压力焊两种。监理方在施工方自检基础上抽查,共抽检对焊焊件 14 组,电渣压力焊焊件 11 组,试件全部一次性合格。

在钢筋的表面清洁方面,监理对分批进场的钢材查验,要求表面洁净,无严重锈蚀现象。

钢筋的规格、形状、尺寸、数量,特别是锚固长度、接头设置等,监理人员发现问题及时指出,均符合设计要求和施工规范,个别变动处经设计单位同意,已下达了变更通知。

3. 模板工程

本工程地梁采用 120mm 厚砖胎膜,模内侧抹 1:2 水泥砂浆后做防水胶,最后做保护层。墙模采用胶合板、木方、钢管用对拉螺栓、斜支撑加固,严格按照地下室防水工程规范要求施工。柱模采用胶合板、木方支设,钢管扣件固定。梁模均采用木模,提前配置现场组拼,支撑系统采用钢管扣件搭设的满堂脚手架支架。高于 700mm 的深梁,进行特殊加固。现浇楼板的模板采用 18mm 木质的防水胶合板,满堂脚手架支架为支撑系统。

监理按照规范要求"模板及支架必须具有足够的强度、刚度和稳定性",在施工自检基础上进行复检,现场观察支模质量,用尺量其接缝宽度、竖向构件垂直度、相临两板表面高度差等,并检查接触面的清理情况。还对拆模时间进行控制,梁、楼板的底模必须达到设计强度的 85%以上,悬挑结构底模必须达到设计强度 100%后方可拆模。

监理进行抽检实测,允许偏差项目合格率统计汇总见表 6-4。

表 6-4 模板工程允许偏差抽查汇总

部位	Ⅰ区	Ⅱ区	Ⅲ区
地下一层	91.4%	97.5%	91.0%
地下二层	92.5%	94.6%	93.5%

4. 混凝土工程

地下室和地板混凝土浇筑全部采用商品混凝土,由江苏××混凝土有限公司供应。混凝土使用的水泥为××水泥,有质量保证书 2 份;

外加剂使用 JM－Ⅲ 型(抗裂防渗)混凝土高效增强剂,有质量保证书 1 份。此外,还有水泥检测报告 5 份、砂检测报告 3 份、碎石检测报告 3 份。

审查的混凝土配合比见表 6-5。

表 6-5　审查的混凝土配合比汇总

部位	设计强度等级	水泥等级	质量配合比 水泥:砂:石子	水灰比	外加剂	抗渗等级
底板	C30	矿渣 42.5	1:2.19:2.90	0.45	JM－Ⅲ	P6
地下室墙板、柱	C40	普硅 42.5	1:1.75:2.46	0.39	JM－Ⅲ	P8
地下室底板后浇带	C40		1:2.19:2.88	0.36	JM－Ⅲ	P10
地下室后浇带	C45		1:1.62:2.27	0.37	JM－Ⅲ	P8
地下室车道	C40		1:1.75:2.46	0.38	JM－Ⅲ	P8

施工方在现场浇筑时,按每 $100m^2$ 做 1 组试块,监理见证送试验中心检验,均达到设计强度。监理方按一定比例在各层各区随机地平行抽检试块共 13 组,均达到设计强度以上。

对 C30、C40 混凝土分别用非统计方法进行强度验评,结果合格。

2001 年 2 月 27 日,XX 市质检站、XX 市检测中心到施工现场对地下室负二层框架柱 $E/2$ 轴、$D/13$ 轴、$L/3$ 轴 3 处进行混凝土回弹抽检,设计强度等级为 C40,检测推定值分别达到 47.1M、47.7M、43.6M。

混凝土浇筑后,注意了养护工作,用塑料薄膜、草袋进行覆盖,并勤洒水。尤其是底板浇筑,混凝土量大,属大体积混凝土施工,为保证质量,工程各方研究了浇筑方案和温度控制方案,使混凝土表面与内部温差始终小于 25℃,底板、地下室墙面均无裂缝。

监理对轴线位移、结构标高、梁的截面尺寸、楼板的表面平整度、柱墙的垂直度等进行抽检、实测。

在轴线位移方面,由监理公司检测组在施工方放线基础上,用全站仪核验。复核结果见表 6-6。

表 6-6 轴线位移复核结果汇总

控制线	底板		地下一层		±0.00 标高	
	抽查点数	合格率	抽查点数	合格率	抽查点数	合格率
轴线	10	75%	10	100%	7	100%

5. 防水分项工程

按设计要求,地下室防水采用内止、外引相结合的方法。地下室底板为 C30 的自防水混凝土,外墙为 C40 的自防水混凝土,原设计抗渗等级 P6。经监理方建议后,部分提高至 P8 标准。监理在现场抽做的抗渗混凝土试块 2 组,试验结果均达到规定抗渗标准。

地下室外墙防水采用高效能防水材料——氰凝,它遇水即发生化学反应,生成不溶水具有一定强度的凝胶体,并在混凝土结构中产生二次透渗化学作用,填满毛细孔缝抗渗漏。由于防水施工的隐蔽性强,监理采用旁站的做法确保防水施工质量。现场施工用"一布三涂"方法,墙面有微小裂缝处采用增加法,即增加"一布二涂",在裂缝处展开 20~30cm。施工中玻纤布搭接宽度在 5cm 以上,确保不渗漏。

外墙防水由 XX 防水工程公司施工。施工前向监理工程师提供以下证书:

(1)建筑防水材料(氰凝)使用认证书 1 份。

(2)氰凝材料检验报告(XX 省技术监督建材产品质量检验站) 1 份。

(3)氰凝出厂合格证(分批) 3 份。

监理在施工过程中对氰凝用量、稀释比例(加二甲苯)以及涂刷质量旁站监控,督促施工方严格按施工工艺进行,施工质量符合要求,效果好。

6. 砌砖分项工程

地下室内隔墙砌筑采用红砖(240mm×115mm×53mm),监理进行抽样检查,质量符合要求。砌筑砂浆强度要求为 M5,经抽检,强度达到要求。

在施工过程中,监理跟踪监控,特别注意断砖应按规范合理搭配,不得集中使用,砌筑时必须把预留构造柱的拉结钢筋砌入墙体 10mm以上,砌筑砖应先湿水等,并对现场实测偏差项目进行统计,见表 6-7。

表 6-7　砌体工程实测结果汇总

项目	允许偏差（mm）	地下一层		地下二层	
		实测点数	合格点数	实测点数	合格点数
轴线位置	10	10	10	10	10
每层垂直度	5	10	10	10	10
表面平整度	8	10	10	10	10
水平灰缝平整度	10	10	10	10	9
水平灰缝厚度	±8	10	9	10	9

（三）主体分部工程

1. 钢筋工程

主体工程使用的钢筋品种规格有 HPB235（Ⅰ级）钢 3 种（用于梁柱箍筋）、HRB335（Ⅱ级）钢 5 种（用于梁柱纵向筋）、冷轧肋钢筋 3 种（用于楼板面筋）、预应力钢绞线 1 种（用于预应力筋）。钢筋全部由业主供应,各类材料有产品质量证明书和检验报告共 33 份。施工方按进场批次在监理人员见证下抽检、送检,质量合格的使用到工程上。监理组还独立进行平行检验,共抽检各种规格钢筋 33 组,试验结果全部合格。

按设计要求,钢筋焊接采用对焊和电渣压力焊两种。监理组在施工过程中先后现场抽检对焊件 15 组、电渣压力焊件 15 组,单独送检。试验结果显示,抗拉强度、断裂特征、断裂位置均符合 JBJ18—96 标准规定要求。

进场钢筋表面清洁,无严重锈蚀现象。

钢筋的规格、尺寸、数量、锚固长度、接头设置等,监理现场跟踪检查,发现问题以口头或书面通知形式及时指出（共发出监理工程师通知18 份）。施工方据此整改并报复检,均符合设计要求。

对于钢筋网片、骨架绑扎和焊接、钢筋弯钩朝向与角度、绑扎接头、搭接长度、箍筋数量等,监理组将主体工程按楼层划分为 24 个区(每一层为分项工程的子项),逐区进行了抽检实测统计,全部合格。

对于各楼层钢筋绑扎质量,在施工方自检后分区报验的基础上,监理方进行工序验收,并对钢筋网架的尺寸、受力钢筋的间距、受力钢筋的保护层等允许偏差项目抽检实测,其合格率统计见表 6-8。

表 6-8 钢筋一般项目抽查结果汇总

分区	合格率(%)	分区	合格率(%)
一层	92.3	十二层	90.8
二层	96.5	十三层	94.4
三层	98.3	十四层	94.6
四层	96.2	十五层	93.6
五层	92.5	十六层	95.5
六层	95.5	十七层	92.3
七层	95.4	十八层	91.2
八层	94.5	十九层	93.5
九层	96.2	二十层	93.5
十层	91.3	二十一层	95.5
十一层	92.5	二十二层	94.2

2. 模板工程

本大楼全部采用木质多层胶合板做模板的面板,以保证混凝土表面平整清洁。横梁用 50mm×100mm 方木,并配用 ϕ48 钢管及其扣件为支撑系统,散装散拆。

支模工程质量,监理人员着重检查了轴线位移,底模上表面标高,截面内部尺寸、垂直度以及预留孔洞的中心位置和截面内部尺寸等,并分区进行了抽检实测,合格率统计见表 6-9。

混凝土浇筑过程中未出现大范围的胀模和漏浆。混凝土浇灌后,监理人员要求施工人员按规范对梁、柱、板以及正侧面的拆模时间要求,向监理组提交申请拆模报告,确保结构强度。

表 6-9　模板工程轴线位移、标高等抽查结果汇总

分区	合格率(%)	分区	合格率(%)
一层	96.0	十二层	91.5
二层	96.5	十三层	94.8
三层	98.0	十四层	94.6
四层	100.0	十五层	98.0
五层	95.5	十六层	98.5
六层	95.5	十七层	91.5
七层	91.0	十八层	90.0
八层	94.5	十九层	93.0
九层	100.0	二十层	93.8
十层	93.8	二十一层	95.0
十一层	97.0	二十二层	97.0

3. 混凝土工程

与地下室工程相同,浇筑混凝土全部采用的由江苏 XX 商品混凝土公司供应商品混凝土。使用的水泥为 XX 水泥,有出厂试验报告 3 份。外加剂使用 JM－Ⅲ型和 JM－Ⅷ型高效增强剂,有质量保证书和检测报告各 1 份。另有水泥检测报告 24 份、砂检测报告 20 份、碎石检测报告 20 份。

监理组审查的主体结构混凝土配合比见表 6-10。

表 6-10　监理组审查的主体结构混凝土配合比

使用部位	设计强度等级	水泥等级	质量配合比 水泥：砂：石子	水灰比	外加剂
一～二十二层柱、梁、板	C40	42.5	1:1.59:2.50	0.45	JM－Ⅲ
冷却塔基础	C40	42.5	1:2.35:2.86	0.39	JM－Ⅲ
斜屋面	C40	42.5	1:1.89:2.56	0.39	JM－Ⅲ

主体工程混凝土设计强度等级为 C40,施工方在现场浇筑时,按每100m² 做 1 组试块,监理方见证送建材试验中心试验,均达到设计强度。监理方在各层随机抽检 C40 混凝土试块 15 组,试验值均在设计强度以上。对 C40 混凝土用统计方法进行强度验评,合格。

拆模后,监理人员主要检查了混凝土主体是否出现蜂窝、孔洞、主筋露筋、缝隙夹渣层超限等四项质量缺陷及其程度。由于在混凝土浇筑过程中,现场组织有序,人员分工明确,振捣及时到位,且监理人员旁站监控,发现问题及时协调解决,故各层混凝土浇筑效果较好,基本达到外光内实。监理人员逐项进行现场查看和检测,均为合格。

4.预应力分项工程

1)材料质量的控制

预应力钢绞线(公称直径 15.24 预应力钢绞线):分四批进场,有产品质量保证书 4 份、检测报告 3 份。预应力钢筋由材料试验中心检测,均符合抗拉强度不少于 1 860N/mm²,伸长率不小于 3.5% 的要求,合格。监理随机抽取 4 组钢绞线样品单独进行平行试验,结果合格。

金属波纹管:分 3 批进场(管内径为 φ70、φ60),有产品质量保证书 3 份。

预应力筋用锚具、夹具及连接器:ATM 挤压器套有产品质量证书 2 份、挤压锚具锚固性能检测报告 1 份;工作锚板、工作夹片有产品质量保证书 3 份、锚具硬度检查报告 3 份、锚具静载锚固性能试验报告 1 份;千斤顶有校验报告 4 份。

2)施工质量的控制

监理人员对每一预应力梁、预应力框架、预应力柱、预应力板,在混凝土浇筑前进行逐个检查把关,达到根数准确,预应力筋的矢高(马凳高)符合设计要求,预应力筋和波纹管线形平顺无破损,端部承压板与局部承压措施符合要求,泌水管道通畅,端部钢板与张拉作用线垂直。

监理人员观察了预应力筋预留孔位置偏移、预埋钢板中心线位置偏移、预埋螺栓中心线位置偏移、预留洞中心线位置偏移等 5 项,每项实测 10 点,均在偏差范围之内。

经监理现场监控,混凝土强度等级 C40,后张法孔道水泥沙浆强度符合设计要求。

预应力张拉质量控制：

(1)混凝土强度达到设计强度的 100%后才进行张拉。

(2)张拉前施工方提交预应力张拉实施方案,经签审后实施。

(3)$\delta_{con} = 0.7 f_{ptk}$ (1 860N/mm^2)。张拉顺序为 $\delta \rightarrow 0.2\delta_{con} \rightarrow 0.6\delta_{con} \rightarrow 1.05\delta_{con}$,持荷 5min 后锚固。

(4)每次张拉,监理人员均到场旁站,施工方做好现场张拉记录,并进行整理报监理方。

(5)本工程共计 341 束钢绞线,张拉结果显示,340 束的预应力张拉伸长值的误差在 $-4.9\% \sim +9.7\%$ 范围内,满足混凝土结构工程施工及验收规范。仅有一束 YKL - 2 - E 超出规定范围。总合格率为 99.7%。

5.砌筑分项工程

大楼隔墙采用新型材料 ALC 板材,有板厚 125mm 和 150mm 两种规格(1~8 层板厚 150mm,9~22 层板厚 125mm),板长根据具体层高 3~5m 不等。施工方法采用纵墙板安装方式,板缝接点用长胀锚螺栓。墙板安装后,在墙板接缝间灌入 1:3 水泥砂浆填实,墙面倒角缝用 1:1:4 混合砂浆掺加水量的 5%~7%的 108 胶,填实抹平,并在上面用 108 胶粘贴玻璃纤维网格布。为确保工程质量,工程各方在工地例会和专题会议上议定:卫生间、茶水间隔墙要做混凝土基础(高 20cm,宽度与隔墙厚度一致);一、二层轻质板的固定,按施工有关图集,用钩头螺栓与角钢固定;灌缝水泥砂浆掺入少量微膨胀剂;门框处两面分别用角钢加固。监理人员在板材进货时发现有细小的微裂纹,向施工方提出是否会影响工程质量的质疑,要求公司专门出具了 2002 年 4 月 16 日生产的长 4 960mm、厚 150mm 的有轻微裂纹(未经修补)的隔墙板试验记录,安全系数达到 3 以上(约为 3.27),使用无影响,作了保证。

ALC 板材质量:板材分 8 批进场,每批均有产品质量证明书。接缝钢筋、角钢有质量保证书。

隔墙板接缝灌浆饱满情况:监理人员对一～二十二层轻质隔墙接缝所灌水泥砂浆进行旁站监理和巡回检查,水泥砂浆流动性满足填充要求,并按规定每次灌浆不超过 1m,分段进行,基本达到密实要求。

(四)楼、地面分部工程

本工程的楼、地面分为板块楼、地面,整体楼、地面,木质地板地面三类。

1. 板块楼、地面

采用陶瓷砖地面,铺贴用水泥砂浆做结合层;大理石板地面,铺贴用水泥砂浆做结合层。

橡胶地面的施工顺序为:地坪打磨→"自流平"水泥→用 R710 胶贴橡胶地板。

所用材料"自流平"水泥、R710 胶、橡胶地板均为进口德国产品,质检资料齐全。

2. 整体楼、地面

地下二层、地下一层除上述设备房、仓库等铺陶瓷砖外,其他地区均为细石混凝土地面,在地坪清理干净后,绑扎 $\phi 4$ 钢筋,浇筑 C20 细石混凝土 5cm 找平。

3. 木质地板地面

施工顺序为:做水泥坞木龙骨→铺基层板→铺西南桦木地板。

监理人员对楼、地面的质量控制以巡视和隐蔽工程验收为主,规定的隐蔽工程必须按规定进行验收。同时,监理人员加强巡视,发现问题及时指出,并要求施工人员纠正。

(五)屋面分部工程

上人屋面做法:在现浇钢筋混凝土屋面上铺防水聚酯珍珠岩板(保温层)→做 1:3 水泥砂浆找平层(20mm 厚)→刷 APP 防水冷胶料一度→铺贴 APP 改性沥青防水卷材(纵横搭接宽度 100mm)→聚氨酯防水涂料三度(一布三刷)→刷 1:3 石灰砂浆隔离层(3mm 厚)→做刚性找平层(C20 细石混凝土,内配双向钢筋,40mm 厚)→铺卵石层(30mm 厚的直径 5~10mm 的卵石,50mm 厚的直径 10~20mm 的卵石)→铺棕丝一层→200mm 厚种植土。

在施工过程中监理坚持旁站监控,工序报验,以控制整个工程质量。

(六)门窗工程

本工程的全部窗、部分门采用 PVC 塑钢门窗。塑钢门窗施工方法为:根据设计图纸定准门窗洞口位置,先安外框,用膨胀螺栓嵌入墙体并拧紧固定,框与墙体之间的缝用发泡剂填充补实;当外墙面工程结束后,开始打防水硅胶;在内装饰完成后安装玻璃和门窗把手,下部铁螺丝四周打好防水硅胶;最后进行调试。

对门窗工程的监理,一是进场验收,检查门窗的出厂合格证、几何尺寸、型号、数量、开启方向是否对、配件是否齐全等;二是工序报验后,监理对水平线、洞口进行检查,对窗框安装进行检查,对玻璃安装进行检查;三是全部安装完毕后,整体验收检查。施工过程中先后出现过塑钢窗的窗下端因排水孔堵塞或不畅而渗水、窗户密封胶起皮、部分窗缺少压条、窗扇开启有异响、玻璃损害等问题,监理立即发出通知单要求整改,并在整改后进行复检。特别是安装的玻璃,由于交叉施工、外墙钢骨架烧焊、成品保护措施不够及其他一些原因,有大量的玻璃受损。在监理方的统一组织下,对大楼所有的塑钢窗进行了全面的检查,约有 1 000m^2 的玻璃进行了更换。

(七)装饰分部工程

外装饰工程全部是干挂花岗石,内部装饰种类很多。

监理人员对材料进行检查验收的证明材料有花岗石检验报告、钢材(角钢、槽钢)质量证明书及检验报告、钢板质量证明书、热镀锌产品质量保证书、不锈钢螺栓检验报告、树脂胶产品抗拔试验、干挂件产地证明和检验报告、焊条质量合格证、焊接件抗拉检测报告、树脂胶产品质量保证书、锌环氧脂底漆出厂证明及检验报告、云石胶合格证、易发胶产地证明等。

经检查,钢骨架安装位置正确,连接牢固;电焊工有特殊工种上岗证;骨架无裂缝,焊渣已及时清除。

饰面板规格、颜色符合设计要求,质量符合有关标准规定。饰面板安装牢固。

监理对施工质量,一是通过制作样板间,以样板先行,完善工艺要求,规范各个操作人员的施工行为;二是现场巡回检查,及时发现问题,及时协调和解决问题;三是坚持工序检验、隐蔽工程验收,合格后才允许进行下道工序;四是重点关注和监控修改、返工的部位;五是对各分项工程进行抽检实测,取得工艺质量的第一手资料。

(八)设备安装的监理

监理对设备安装工程实行全过程监控,主要抓了以下环节:

(1)严格审批施工组织设计和施工方案,对工程质量进行预控。

(2)认真熟悉和审核施工图纸,完善施工设计和避免不必要的返工。

(3)严格执行材料、设备进场报验制度,防止不合格的产品用到工程上。

(4)做好施工过程的跟踪监控,前道工序未经检验合格不得进行下道工序。

(5)对所有的设备调试与检测工作,监理人员都进行组织与见证,记录检查或调试的结果,并对不合要求之处进行仔细的纠正和检查。

(6)重视安全施工,及时消除隐患和后患。

(7)加强组织协调力度,促进工程施工的顺利进行。

四、进度控制

由于本工程的进度矛盾不是非常突出,所以进度控制的措施采用的是常规做法。

首先,制定整个项目的进度计划,包括材料采购、施工招标、施工单位进场准备等,向建设单位提供建议。

其次,在施工进场后,要求施工单位制定总的进度计划交监理组审查,符合合同要求后实施。

再次,在施工过程中,要求施工单位每月向监理组申报月计划和周计划,由监理组进行审查后实施。监理组每周通过周例会对工程进度进行审查,同时每月进行一次进度检查与分析,并将进度控制与分析报告上报业主和施工单位的总经理。一方面向业主汇报进度分析情况,提请业主注意解决设计变更、材料供应、项目审查等工作;另一方面,向施工单位的总经理通报本工程的进度情况,要求他注意履行合同。

实际情况表明,进度控制是有效的。但是由于业主的设计变更、有些决策者意图的变化等严重影响了施工进度,这些进度延迟是由业主原因造成的,业主也认可。监理组还签署了5份进度延期报告。

工期前期,在监理人员的组织下,通过工程各方努力,工程进度较快,围护工程、地基和基础工程、主体工程均按时或提前完成。主体封顶后,由于以下原因而影响了进度:

(1)业主对立面、屋顶、礼堂、楼层分割、办公室布设、门窗选材选型等设计方案反复研究论证,作了较大的修改和完善,并经各级部门审定后才施工。

(2)在施工过程中,又边施工边变更,如会议厅、分组会议室吊顶高度调整,东侧玻璃幕墙改为普通窗,冷却塔调整至四层顶,一、二层地面大理石材更换品种等,特别是装饰工程变更尤多,返工量颇大。

(3)设计方面落实设计方案和变更,抓紧提供施工图纸,做了较大的努力,但仍不能及时满足施工的需要,有时风、水、电同步考虑不够。

(4)内、外装饰和门窗工程施工单位进场较晚,与土建、设备安装的交叉配合协调难度大。

(5)业主采购的石材(大理石)质量低于样品质量,根据设计要求进行了更换。

五、监理工作体会

(一)严把六关

监理组坚持在处理工程质量、进度、投资的整体关系上,以质量为核心。在确保工程质量的前提下抓进度,求节约;坚持加强质量控制力度,将不合格的因素消灭在萌芽之中;坚持旁站监督、现场巡视检查以及工序报验制度,使工程对象始终处于监理人员监控之下。

具体实施中体现在"严把六关":

(1)严把设计交底、图纸会审关。工程各方在熟悉图纸的基础上,了解设计方案和业主方的要求,同时对图纸上一些不妥和错误之处,集思广益,及时发现,进行完善和修改。

(2)严把施工方案审查关。除认真审查单位工程的土建、设备安装、装饰等施工组织设计外,对各分项工程和重要的工序,如土方开挖、地下室防水、混凝土浇筑、大跨度预应力、沉降观测等,均要求施工单位做出相应施工方案报业主和监理审核,并监督实施。

(3)严把测量放线核验关。对工程的主要轴线、标高以及垂直度、平整度,均经监理工程师用较先进的测量仪器进行严格校核,以确保万无一失。

(4)严把材料、设备检验关。本工程主要材料、设备的选用均由业主通过招标确定,供应渠道规范。材料、设备进场监理人员均查证(合格证、质量保证书、检测报告等)验货,建立材料、设备台账,对施工方的送检进行见证,并按批次独立进行抽检,合格后方允许使用到工程上。

(5)严把分项工程隐蔽验收关。每个分项工程隐蔽前,监理方组织工程各方认真验收,发现问题限期整改。监理方通过业主方请质检人员对每一楼层和施工阶段进行现场检查把关,XX质检人员先后检查十多次,绝大部分工程质量受到好评。

(6)严把工程计量、决算审核关。我们严格按照业主关于工程分阶段进行决算和审计的要求,及时对分项工程进行严格的计量签证,对因设计变更引起的工程量增加认真核算,工程款的支付也严格按合同规定执行,公正、合理地做好投资控制。

(二)热情服务

在工程监理全过程中,监理组对工程负责,用自己的专业优势热情为业主服务,主动提出不少合理化建议和咨询意见,被采纳后提高了工程质量,加强了设施功能及安全可靠性。如各空调机房内普遍未考虑排水,建议增设了地漏;各卫生间、开水房墙体底部设计无挡水埝,长期使用后易造成墙体根部渗水和涂料霉变,建议增设了挡水埝;对燃油的锅炉,建议烟道上增设了防爆阀;外墙干挂花岗岩的钢架网上,建议考虑了防侧击雷的措施;各层走廊吊顶内风机盘的供回水支管均有上升段与下降段,易造成管内气堵,建议全面增设了自动排气阀,并将吊顶材料改用有防水功能的;原设计中Ⅲ区北面采光井的玻璃罩位于三层楼板处,建议将玻璃罩抬至四层屋面后,该处三、四层均由露天成为室内等。还有在立面方案、外墙干挂结构的固定方案的研讨中,监理公司派专家组多次参加研究,提出不少有价值的意见,并帮助进行受力分析计算。在工程放线定位上,监理公司测量组有经验的老工程师亲自来到工地,使用先进的全站仪等对施工方的放线认真抽查校核,保证了主体工程的优质。

(三)规范管理

在本工程监理全过程中,正值监理公司进行 ISO—9002 质量系列标准贯标。借此东风促进,监理组在工作规范化、制度化方面有了较大的提高。监理组坚持凡事有文字依据,用资料说话,说到、做到、记到。开工前,制定了工程总体监理规划和各分部、分项工程的监理细则,以及三大控制监理流程图,向各施工单位交代监理制度和规定;施工过程中,建立严格的报验签证、隐蔽验收制度,保证对各工序质量和工程费用支付的有效监控。运用监理文书(监理工程师联系单、指令单、备忘录、会议纪要等)及时处理施工过程中出现的各种问题,协调各方关系。监理还对各分项工程的施工质量进行独立的实测、抽检、记录、统计,取得第一手资料,对工程做到心中有数;完工后,审查竣工资料,组织初验,督促整改,健全完善了正式例会制度、专题会议制度、值班制度、总结汇报制度(监理日志、监理月报、半年及全年总结等)。工程一开始就全面采用了新的监理管理方式,注意工程资料建设。工程全过程除监理按日填写监理日志,按月送监理月报外,还发出监理联系单 625 份、监理指令单 31 份,整理各种会议纪要 281 期,处理施工单位申请报表50 份,对工程建设进行了有效的监控。

(四)主动协调

在工程监理全过程中,监理组坚持主动协调,工程上各方有关施工方面的往来文书、报告、图纸、变更等均经监理方提出处理意见后,报业主方审签或协商确定。协调的主要内容有业主方与施工方的协调、施工单位间的协调、施工方与设计方的协调三个方面。

1. 业主方与施工方的协调

把业主对工程的意图和要求让施工方领会和贯彻;及时向业主反映现场施工的情况和动态;帮助反映施工方的权益问题,监理方也尽力协调。

2.施工单位间的协调

本工程无总包,各专业施工计划的协调、交叉衔接工序的配合,以及施工单位间出现的各种矛盾和权益问题,监理方也尽力协调。

3.施工方与设计方的协调

由于设计方案变更多,有时设计院出图跟不上或图中有不妥之处等,监理及时与设计方联系沟通,组织图纸会审,必要时组织三方人员到现场进行研究。

在现场文明和安全施工方面,监理组积极参与了各项工作。特别是在安全工作上,把安全施工列为监理工作的重要工作之一,思想重视,长抓不懈,做到"六要求、一结合"。六要求是:施工队伍进场要上报安全组织系统;施工组织设计方案要有安全措施;施工现场要有专职安全员佩带安全标志巡检;特殊施工(如大型设备吊装、拆大型钢支撑等)要有专门的安全方案;特殊工种工人要有培训上岗证;一旦发生安全事故要求在最短的时间内上报,不得隐瞒私了。一结合是指定期和不定期组织安全大检查,平时抓和突击抓相结合。在工程各方齐抓共管下,本工程自始至终保持了安全无事故、无人员伤亡的记录,促进了施工的顺利进行。

第三篇　重要法律文件

中华人民共和国建筑法

第一章　总　则

第一条　为了加强对建筑活动的监督管理,维护建筑市场秩序,保证建筑工程的质量和安全,促进建筑业健康发展,制定本法。

第二条　在中华人民共和国境内从事建筑活动,实施对建筑活动的监督管理,应当遵守本法。本法所称建筑活动,是指各类房屋建筑及其附属设施的建造和与其配套的线路、管道、设备的安装活动。

第三条　建筑活动应当确保建筑工程质量和安全,符合国家的建筑工程安全标准。

第四条　国家扶持建筑业的发展,支持建筑科学技术研究,提高房屋建筑设计水平,鼓励节约能源和保护环境,提倡采用先进技术、先进设备、先进工艺、新型建筑材料和现代管理方式。

第五条　从事建筑活动应当遵守法律、法规,不得损害社会公共利益和他人的合法权益。任何单位和个人都不得妨碍和阻挠依法进行的建筑活动。

第六条　国务院建设行政主管部门对全国的建筑活动实施统一监督管理。

第二章　建筑许可

第一节　建筑工程施工许可

第七条　建筑工程开工前,建设单位应当按照国家有关规定向工程所在地县级以上人民政府建设行政主管部门申请领取施工许可证;

但是,国务院建设行政主管部门确定的限额以下的小型工程除外。

按照国务院规定的权限和程序批准开工报告的建筑工程,不再领取施工许可证。

第八条 申请领取施工许可证,应当具备下列条件:

(一)已经办理该建筑工程用地批准手续;

(二)在城市规划区的建筑工程,已经取得规划许可证;

(三)需要拆迁的,其拆迁进度符合施工要求;

(四)已经确定建筑施工企业;

(五)有满足施工需要的施工图纸及技术资料;

(六)有保证工程质量和安全的具体措施;

(七)建设资金已经落实;

(八)法律、行政法规规定的其他条件。

建设行政主管部门应当自收到申请之日起十五日内,对符合条件的申请颁发施工许可证。

第九条 建设单位应当自领取施工许可证之日起三个月内开工。因故不能按期开工的,应当向发证机关申请延期;延期以两次为限,每次不超过三个月。既不开工又不申请延期或者超过延期时限的,施工许可证自行废止。

第十条 在建的建筑工程因故中止施工的,建设单位应当自中止施工之日起一个月内,向发证机关报告;并按照规定做好建筑工程的维护管理工作。

建筑工程恢复施工时,应当向发证机关报告;中止施工满一年的工程恢复施工前,建设单位应当报发证机关核验施工许可证。

第十一条 按照国务院有关规定批准开工报告的建筑工程,因故不能按期开工或者中止施工的,应当及时向批准机关报告情况。因故不能按期开工超过六个月的,应当重新办理开工报告的批准手续。

第二节 从业资格

第十二条 从事建筑活动的建筑施工企业、勘察单位、设计单位和工程监理单位,应当具备下列条件:

（一）有符合国家规定的注册资本；

（二）有与其从事的建筑活动相适应的具有法定执业资格的专业技术人员；

（三）有从事相关建筑活动所应有的技术装备；

（四）法律、行政法规规定的其他条件。

第十三条　从事建筑活动的建筑施工企业、勘察单位、设计单位和工程监理单位，按照其拥有的注册资本、专业技术人员、技术装备和已完成的建筑工程业绩等资质条件，划分为不同的资质等级，经资质审查合格，取得相应等级的资质证书后，方可在其资质等级许可的范围内从事建筑活动。

第十四条　从事建筑活动的专业技术人员，应当依法取得相应的执业资格证书，并在执业资格证书许可的范围内从事建筑活动。

第三章　建筑工程发包与承包

第一节　一般规定

第十五条　建筑工程的发包单位与承包单位应当依法订立书面合同，明确双方的权利和义务。发包单位和承包单位应当全面履行合同约定的义务。不按照合同约定履行义务的，依法承担违约责任。

第十六条　建筑工程发包与承包的招标投标活动，应当遵循公开、公正、平等竞争的原则，择优选择承包单位。建筑工程的招标投标，本法没有规定的，适用有关招标投标法律的规定。

第十七条　发包单位及其工作人员在建筑工程发包中不得收受贿赂、回扣或者索取其他好处。承包单位及其工作人员不得利用向发包单位及其工作人员行贿、提供回扣或者给予其他好处等不正当手段承揽工程。

第十八条　建筑工程造价应当按照国家有关规定，由发包单位与承包单位在合同中约定。公开招标发包的，其造价的约定须遵守招标投标法律的规定。发包单位应当按照合同的约定，及时拨付工程款项。

第二节 发 包

第十九条 建筑工程依法实行招标发包,对不适于招标发包的可以直接发包。

第二十条 建筑工程实行公开招标的,发包单位应当依照法定程序和方式,发布招标公告,提供载有招标工程的主要技术要求、主要的合同条款、评标的标准和方法以及开标、评标、定标的程序等内容的招标文件。开标应当在招标文件规定的时间、地点公开进行。开标后应当按照招标文件规定的评标标准和程序对标书进行评价、比较,在具备相应资质条件的投标者中,择优选定中标者。

第二十一条 建筑工程招标的开标、评标、定标由建设单位依法组织实施,并接受有关行政主管部门的监督。

第二十二条 建筑工程实行招标发包的,发包单位应当将建筑工程发包给依法中标的承包单位。建筑工程实行直接发包的,发包单位应当将建筑工程发包给具有相应资质条件的承包单位。

第二十三条 政府及其所属部门不得滥用行政权力,限定发包单位将招标发包的建筑工程发包给指定的承包单位。

第二十四条 提倡对建筑工程实行总承包,禁止将建筑工程肢解发包。

建筑工程的发包单位可以将建筑工程的勘察、设计、施工、设备采购一并发包给一个工程总承包单位,也可以将建筑工程勘察、设计、施工、设备采购的一项或者多项发包给一个工程总承包单位;但是,不得将应当由一个承包单位完成的建筑工程肢解成若干部分发包给几个承包单位。

第二十五条 按照合同约定,建筑材料、建筑构配件和设备由工程承包单位采购的,发包单位不得指定承包单位购入用于工程的建筑材料、建筑构配件和设备或者指定生产厂、供应商。

第三节 承 包

第二十六条 承包建筑工程的单位应当持有依法取得的资质证

书,并在其资质等级许可的业务范围内承揽工程。

禁止建筑施工企业超越本企业资质等级许可的业务范围或者以任何形式用其他建筑施工企业的名义承揽工程。禁止建筑施工企业以任何形式允许其他单位或者个人使用本企业的资质证书、营业执照,以本企业的名义承揽工程。

第二十七条 大型建筑工程或者结构复杂的建筑工程,可以由两个以上的承包单位联合共同承包。共同承包的各方对承包合同的履行承担连带责任。

两个以上不同资质等级的单位实行联合共同承包的,应当按照资质等级低的单位的业务许可范围承揽工程。

第二十八条 禁止承包单位将其承包的全部建筑工程转包给他人,禁止承包单位将其承包的全部建筑工程肢解以后以分包的名义分别转包给他人。

第二十九条 建筑工程总承包单位可以将承包工程中的部分工程发包给具有相应资质条件的分包单位;但是,除总承包合同中约定的分包外,必须经建设单位认可。施工总承包的,建筑工程主体结构的施工必须由总承包单位自行完成。

建筑工程总承包单位按照总承包合同的约定对建设单位负责;分包单位按照分包合同的约定对总承包单位负责。总承包单位和分包单位就分包工程对建设单位承担连带责任。

禁止总承包单位将工程分包给不具备相应资质条件的单位。禁止分包单位将其承包的工程再分包。

第四章 建筑工程监理

第三十条 国家推行建筑工程监理制度。国务院可以规定实行强制监理的建筑工程的范围。

第三十一条 实行监理的建筑工程,由建设单位委托具有相应资质条件的工程监理单位监理。建设单位与其委托的工程监理单位应当订立书面委托监理合同。

第三十二条　建筑工程监理应当依照法律、行政法规及有关的技术标准、设计文件和建筑工程承包合同,对承包单位在施工质量、建设工期和建设资金使用等方面,代表建设单位实施监督。工程监理人员认为工程施工不符合工程设计要求、施工技术标准和合同约定的,有权要求建筑施工企业改正。工程监理人员发现工程设计不符合建筑工程质量标准或者合同约定的质量要求的,应当报告建设单位要求设计单位改正。

第三十三条　实施建筑工程监理前,建设单位应当将委托的工程监理单位、监理的内容及监理权限,书面通知被监理的建筑施工企业。

第三十四条　工程监理单位应当在其资质等级许可的监理范围内,承担工程监理业务。工程监理单位应当根据建设单位的委托,客观、公正地执行监理任务。工程监理单位与被监理工程的承包单位以及建筑材料、建筑构配件和设备供应单位不得有隶属关系或者其他利害关系。工程监理不得转让工程监理业务。

第三十五条　工程监理单位不按照委托监理合同的约定履行监理义务,对应当监督检查的项目不检查或者不按规定检查,给建设单位造成损失的,应当承担相应的赔偿责任。工程监理单位与承包单位串通,为承包单位谋取非法利益,给建设单位造成损失的,应当与承包单位承担连带赔偿责任。

第五章　建筑安全生产管理

第三十六条　建筑工程安全生产管理必须坚持安全第一、预防为主的方针,建立健全安全生产的责任制度和群防群治制度。

第三十七条　建筑工程设计应当符合按照国家规定制定的建筑安全规程和技术规范,保证工程的安全性能。

第三十八条　建筑施工企业在编制施工组织设计时,应当根据建筑工程的特点制定相应的安全技术措施;对专业性较强的工程项目,应当编制专项安全施工组织设计,并采取安全技术措施。

第三十九条　建筑施工企业应当在施工现场采取维护安全、防范危险、预防火灾等措施;有条件的,应当对施工现场实行封闭管理。施工现场对毗邻的建筑物、构筑物和特殊作业环境可能造成损害的,建筑施工企业应当采取安全防护措施。

第四十条 建设单位应当向建筑施工企业提供与施工现场相关的地下管线资料,建筑施工企业应当采取措施加以保护。

第四十一条 建筑施工企业应当遵守有关环境保护和安全生产的法律、法规的规定,采取控制和处理施工现场的各种粉尘、废气、废水、固体废弃物以及噪声、振动对环境的污染和危害的措施。

第四十二条 有下列情形之一的,建筑单位应当按照国家有关规定办理申请批准手续:

(一)需要临时占用规划批准范围以外场地的;

(二)可能损坏道路、管线、电力、邮电通讯等公共设施的;

(三)需要临时停水、停电、中断道路交通的;

(四)需要进行爆破作业的;

(五)法律、法规规定需要办理报批手续的其他情形。

第四十三条 建设行政主管部门负责建筑安全生产的管理,并依法接受劳动行政主管部门对建筑安全生产的指导和监督。

第四十四条 建筑施工企业必须依法加强对建筑安全生产的管理,执行安全生产责任制度,采取有效措施,防止伤亡和其他安全生产事故的发生。

建筑施工企业的法定代表人对本企业的安全生产负责。

第四十五条 施工现场安全由建筑施工企业负责。实行施工总承包的,由总承包单位负责。分包单位向总承包单位负责,服从总承包单位对施工现场的安全生产管理。

第四十六条 建筑施工企业应当建立健全劳动安全生产教育培训制度,加强对职工安全生产的教育培训;未经安全生产教育培训的人员,不得上岗作业。

第四十七条 建筑施工企业和作业人员在施工过程中,应当遵守有关安全生产的法律、法规和建筑行业安全规章、规程,不得违章指挥或者违章作业。作业人员有权对影响人身健康的作业程序和作业条件提出改进意见,有权获得安全生产所需的防护用品。作业人员对危及生命安全和人身健康的行为有权提出批评、检举和控告。

第四十八条 建筑施工企业必须为从事危险作业的职工办理意外伤害保险,支付保险费。

第四十九条 涉及建筑主体和承重结构变动的装修工程,建设单位应当在施工前委托原设计单位或者具有相应资质条件的设计单位提出设计方案;没有设计方案的,不得施工。

第五十条 房屋拆除应当由具备保证安全条件的建筑施工单位承担,由建筑施工单位负责人对安全负责。

第五十一条 施工中发生事故时,建筑施工企业应当采取紧急措施减少人员伤亡和事故损失,并按照国家有关规定及时向有关部门报告。

第六章 建筑工程质量管理

第五十二条 建筑工程勘察、设计、施工的质量必须符合国家有关建筑工程安全标准的要求,具体管理办法由国务院规定。有关建筑工程安全的国家标准不能适应确保建筑安全的要求时,应当及时修订。

第五十三条 国家对从事建筑活动的单位推行质量体系认证制度。从事建筑活动的单位根据自愿原则可以向国务院产品质量监督管理部门或者国务院产品质量监督管理部门授权的部门认可的认证机构申请质量体系认证。经认证合格的,由认证机构颁发质量体系认证证书。

第五十四条 建设单位不得以任何理由,要求建筑设计单位或者建筑施工企业在工程设计或者施工作业中,违反法律、行政法规和建筑工程质量、安全标准,降低工程质量。

建筑设计单位和建筑施工企业对建设单位违反前款规定提出的降低工程质量的要求,应当予以拒绝。

第五十五条 建筑工程实行总承包的,工程质量由工程总承包单位负责,总承包单位将建筑工程分包给其他单位的,应当对分包工程的质量与分包单位承担连带责任。分包单位应当接受总承包单位的质量管理。

第五十六条　建筑工程的勘察、设计单位必须对其勘察、设计的质量负责。勘察、设计文件应当符合有关法律、行政法规的规定和建筑工程质量、安全标准、建筑工程勘察、设计技术规范以及合同的约定。设计文件选用的建筑材料、建筑构配件和设备，应当注明其规格、型号、性能等技术指标，其质量要求必须符合国家规定的标准。

第五十七条　建筑设计单位对设计文件选用的建筑材料、建筑构配件和设备，不得指定生产厂、供应商。

第五十八条　建筑施工企业对工程的施工质量负责。

建筑施工企业必须按照工程设计图纸和施工技术标准施工，不得偷工减料。工程设计的修改由原设计单位负责，建筑施工企业不得擅自修改工程设计。

第五十九条　建筑施工企业必须按照工程设计要求、施工技术标准和合同的约定，对建筑材料、建筑构配件和设备进行检验，不合格的不得使用。

第六十条　建筑物在合理使用寿命内，必须确保地基基础工程和主体结构的质量。

建筑工程竣工时，屋顶、墙面不得留有渗漏、开裂等质量缺陷；对已发现的质量缺陷，建筑施工企业应当修复。

第六十一条　交付竣工验收的建筑工程，必须符合规定的建筑工程质量标准，有完整的工程技术经济资料和经签署的工程保修书，并具备国家规定的其他竣工条件。

建筑工程竣工经验收合格后，方可交付使用；未经验收或者验收不合格的，不得交付使用。

第六十二条　建筑工程实行质量保修制度。

建筑工程的保修范围应当包括地基基础工程、主体结构工程、屋面防水工程和其他土建工程，以及电气管线、上下水管线的安装工程，供热、供冷系统工程等项目；保修的期限应当按照保证建筑物合理寿命年限内正常使用，维护使用者合法权益的原则确定。具体的保修范围和最低保修期限由国务院规定。

第六十三条　任何单位和个人对建筑工程的质量事故、质量缺陷都有权向建设行政主管部门或者其他有关部门进行检举、控告、投诉。

第七章　法律责任

第六十四条　违反本法规定,未取得施工许可证或者开工报告未经批准擅自施工的,责令改正,对不符合开工条件的责令停止施工,可以处以罚款。

第六十五条　发包单位将工程发包给不具有相应资质条件的承包单位的,或者违反本法规定将建筑工程肢解发包的,责令改正,处以罚款。

超越本单位资质等级承揽工程的,责令停止违法行为,处以罚款,可以责令停业整顿,降低资质等级;情节严重的,吊销资质证书;有违法所得的,予以没收。

未取得资质证书承揽工程的,予以取缔,并处罚款;有违法所得的,予以没收。以欺骗手段取得资质证书的,吊销资质证书,处以罚款;构成犯罪的,依法追究刑事责任。

第六十六条　建筑施工企业转让、出借资质证书或者以其他方式允许他人以本企业的名义承揽工程的,责令改正,没收违法所得,并处罚款,可以责令停业整顿,降低资质等级;情节严重的,吊销资质证书。对因该项承揽工程不符合规定的质量标准造成的损失,建筑施工企业与使用本企业名义的单位或者个人承担连带赔偿责任。

第六十七条　承包单位将承包的工程转包的,或者违反本法规定进行分包的,责令改正,没收违法所得,并处罚款,可以责令停业整顿,降低资质等级;情节严重的,吊销资质证书。

承包单位有前款规定的违法行为的,对因转包工程或者违法分包的工程不符合规定的质量标准造成的损失,与接受转包或者分包的单位承担连带赔偿责任。

第六十八条　在工程发包与承包中索贿、受贿、行贿,构成犯罪的,依法追究刑事责任;不构成犯罪的,分别处以罚款,没收贿赂的财物,对直接负责的主管人员和其他直接责任人员给予处分。

对在工程承包中行贿的承包单位,除依照前款规定处罚外,可以责令停业整顿,降低资质等级或者吊销资质证书。

第六十九条 工程监理单位与建设单位或者建筑施工企业串通,弄虚作假、降低工程质量的,责令改正,处以罚款,降低资质等级或者吊销资质证书;有违法所得的,予以没收;造成损失的,承担连带赔偿责任;构成犯罪的,依法追究刑事责任。

工程监理单位转让监理业务的,责令改正,没收违法所得,可以责令停业整顿,降低资质等级;情节严重的,吊销资质证书。

第七十条 违反本法规定,涉及建筑主体或者承重结构变动的装修工程擅自施工的,责令改正,处以罚款;造成损失的,承担赔偿责任;构成犯罪的,依法追究刑事责任。

第七十一条 建筑施工企业违反本法规定,对建筑安全事故隐患不采取措施予以消除的,责令改正,可以处以罚款;情节严重的,责令停业整顿,降低资质等级或者吊销资质证书;构成犯罪的,依法追究刑事责任。

建筑施工企业的管理人员违章指挥、强令职工冒险作业,因而发生重大伤亡事故或者造成其他严重后果的,依法追究刑事责任。

第七十二条 建设单位违反本法规定,要求建筑设计单位或者建筑施工企业违反建筑工程质量、安全标准,降低工程质量的,责令改正,可以处以罚款;构成犯罪的,依法追究刑事责任。

第七十三条 建筑设计单位不按照建筑工程质量、安全标准进行设计的,责令改正,处以罚款;造成工程质量事故的,责令停业整顿,降低资质等级或者吊销资质证书,没收违法所得,并处罚款;造成损失的,承担赔偿责任;构成犯罪的,依法追究刑事责任。

第七十四条 建筑施工企业在施工中偷工减料的,使用不合格的建筑材料、建筑构配件和设备的,或者有其他不按照工程设计图纸或者施工技术标准施工的行为的,责令改正,处以罚款;情节严重的,责令停业整顿,降低资质等级或者吊销资质证书;建筑工程质量不符合规定的质量标准的,负责返工、修理,并赔偿因此造成的损失;构成犯罪的,依法追究刑事责任。

第七十五条　建筑施工企业违反本法规定,不履行保修义务或者拖延履行保修义务的,责令改正,可以处以罚款,并对在保修期内因屋顶、墙面渗漏、开裂等质量缺陷造成的损失,承担赔偿责任。

第七十六条　本法规定的责令停业整顿、降低资质等级和吊销资质证书的行政处罚,由颁发资质证书的机关决定;其他行政处罚,由建设行政主管部门或者有关部门依照法律和国务院规定的职权范围决定。

依照本法规定被吊销资质证书的,由工商行政管理部门吊销其营业执照。

第七十七条　违反本法规定,对不具备相应资质等级条件的单位颁发该等级资质证书的,由其上级机关责令收回所发的资质证书,对直接负责的主管人员和其他直接责任人员给予行政处分;构成犯罪的,依法追究刑事责任。

第七十八条　政府及其所属部门的工作人员违反本法规定,限定发包单位将招标发包工程发包给指定的承包单位的,由上级机关责令改正;构成犯罪的,依法追究刑事责任。

第七十九条　负责颁发建筑工程施工许可证的部门及其工作人员对不符合施工条件的建筑工程颁发施工许可证的,负责工程质量监督检查或者竣工验收的部门及其工作人员对不合格的建筑工程出具质量合格文件或者按合格工程验收的,由上级机关责令改正,对责任人员给予行政处分;构成犯罪的,依法追究刑事责任;造成损失的,由该部门承担相应的赔偿责任。

第八十条　在建筑物的合理使用寿命内,因建筑工程质量不合格受到损害的,有权向责任者要求赔偿。

第八章　附　则

第八十一条　本法关于施工许可、建筑施工企业资质审查和建筑工程发包、承包、禁止转包,以及建筑工程监理、建筑工程安全和质量管理的规定,适用于其他专业建筑工程的建筑活动,具体办法由国务院规定。

第八十二条　建设行政主管部门和其他有关部门在对建筑活动实施监督管理中,除按照国务院有关规定收取费用外,不得收取其他费用。

第八十三条　省、自治区、直辖市人民政府确定的小型房屋建筑工程的建筑活动,参照本法执行。

依法核定作为文物保护的纪念建筑物和古建筑等的修缮,依照文物保护的有关法律规定执行。

抢险救灾及其他临时性房屋建筑和农民自建低层住宅的建筑活动,不适用本法。

第八十四条　军用房屋建筑工程建筑活动的具体管理办法,由国务院、中央军事委员会依据本法制定。

第八十五条　本法自1998年3月1日起施行。

建设工程质量管理条例

第一章　总　则

第一条　为了加强对建设工程质量的管理,保证建设工程质量,保护人民生命和财产安全,根据《中华人民共和国建筑法》,制定本条例。

第二条　凡在中华人民共和国境内从事建设工程的新建、扩建、改建等有关活动及实施对建设工程质量监督管理的,必须遵守本条例。

本条例所称建设工程,是指土木工程、建筑工程、线路管道和设备安装工程及装修工程。

第三条　建设单位、勘察单位、设计单位、施工单位、工程监理单位依法对建设工程质量负责。

第四条　县级以上人民政府建设行政主管部门和其他有关部门应当加强对建设工程质量的监督管理。

第五条　从事建设工程活动,必须严格执行基本建设程序,坚持先勘察、后设计、再施工的原则。

县级以上人民政府及其有关部门不得超越权限审批建设项目或者擅自简化基本建设程序。

第六条　国家鼓励采用先进的科学技术和管理方法,提高建设工程质量。

第二章　建设单位的质量责任和义务

第七条　建设单位应当将工程发包给具有相应资质等级的单位。
建设单位不得将建设工程肢解发包。

第八条　建设单位应当依法对工程建设项目的勘察、设计、施工、监理以及与工程建设有关的重要设备、材料等的采购进行招标。

第九条 建设单位必须向有关的勘察、设计、施工、工程监理等单位提供与建设工程有关的原始资料。

原始资料必须真实、准确、齐全。

第十条 建设工程发包单位不得迫使承包方以低于成本的价格竞标，不得任意压缩合理工期。

建设单位不得明示或者暗示设计单位或者施工单位违反工程建设强制性标准，降低建设工程质量。

第十一条 建设单位应当将施工图设计文件报县级以上人民政府建设行政主管部门或者其他有关部门审查。施工图设计文件审查的具体办法，由国务院建设行政主管部门会同国务院其他有关部门制定。

施工图设计文件未经审查批准的，不得使用。

第十二条 实行监理的建设工程，建设单位应当委托具有相应资质等级的工程监理单位进行监理，也可以委托具有工程监理相应资质等级并与被监理工程的施工承包单位没有隶属关系或者其他利害关系的该工程的设计单位进行监理。

下列建设工程必须实行监理：

(一)国家重点建设工程；

(二)大中型公用事业工程；

(三)成片开发建设的住宅小区工程；

(四)利用外国政府或者国际组织贷款、援助资金的工程；

(五)国家规定必须实行监理的其他工程。

第十三条 建设单位在领取施工许可证或者开工报告前，应当按照国家有关规定办理工程质量监督手续。

第十四条 按照合同约定，由建设单位采购建筑材料、建筑构配件和设备的，建设单位应当保证建筑材料、建筑构配件和设备符合设计文件和合同要求。

建设单位不得明示或者暗示施工单位使用不合格的建筑材料、建筑构配件和设备。

第十五条 涉及建筑主体和承重结构变动的装修工程，建设单位应当在施工前委托原设计单位或者具有相应资质等级的设计单位提出设计方案;没有设计方案的,不得施工。

房屋建筑使用者在装修过程中,不得擅自变动房屋建筑主体和承重结构。

第十六条 建设单位收到建设工程竣工报告后,应当组织设计、施工、工程监理等有关单位进行竣工验收。

建设工程竣工验收应当具备下列条件:

(一)完成建设工程设计和合同约定的各项内容;

(二)有完整的技术档案和施工管理资料;

(三)有工程使用的主要建筑材料、建筑构配件和设备的进场试验报告;

(四)有勘察、设计、施工、工程监理等单位分别签署的质量合格文件;

(五)有施工单位签署的工程保修书。

建设工程经验收合格的,方可交付使用。

第十七条 建设单位应当严格按照国家有关档案管理的规定,及时收集、整理建设项目各环节的文件资料,建立、健全建设项目档案,并在建设工程竣工验收后,及时向建设行政主管部门或者其他有关部门移交建设项目档案。

第三章 勘察、设计单位的质量责任和义务

第十八条 从事建设工程勘察、设计的单位应当依法取得相应等级的资质证书,并在其资质等级许可的范围内承揽工程。

禁止勘察、设计单位超越其资质等级许可的范围或者以其他勘察、设计单位的名义承揽工程。禁止勘察、设计单位允许其他单位或者个人以本单位的名义承揽工程。

勘察、设计单位不得转包或者违法分包所承揽的工程。

第十九条 勘察、设计单位必须按照工程建设强制性标准进行勘察、设计,并对其勘察、设计的质量负责。

注册建筑师、注册结构工程师等注册执业人员应当在设计文件上签字,对设计文件负责。

第二十条 勘察单位提供的地质、测量、水文等勘察成果必须真实、准确。

第二十一条 设计单位应当根据勘察成果文件进行建设工程设计。

设计文件应当符合国家规定的设计深度要求,注明工程合理使用年限。

第二十二条 设计单位在设计文件中选用的建筑材料、建筑构配件和设备,应当注明规格、型号、性能等技术指标,其质量要求必须符合国家规定的标准。

除有特殊要求的建筑材料、专用设备、工艺生产线等外,设计单位不得指定生产厂、供应商。

第二十三条 设计单位应当就审查合格的施工图设计文件向施工单位作出详细说明。

第二十四条 设计单位应当参与建设工程质量事故分析,并对因设计造成的质量事故,提出相应的技术处理方案

第四章 施工单位的质量责任和义务

第二十五条 施工单位应当依法取得相应等级的资质证书,并在其资质等级许可的范围内承揽工程。

禁止施工单位超越本单位资质等级许可的业务范围或者以其他施工单位的名义承揽工程。禁止施工单位允许其他单位或者个人以本单位的名义承揽工程。

施工单位不得转包或者违法分包工程。

第二十六条 施工单位对建设工程的施工质量负责。

施工单位应当建立质量责任制,确定工程项目的项目经理、技术负责人和施工管理负责人。

建设工程实行总承包的,总承包单位应当对全部建设工程质量负

责;建设工程勘察、设计、施工、设备采购的一项或者多项实行总承包的,总承包单位应当对其承包的建设工程或者采购的设备的质量负责。

第二十七条 总承包单位依法将建设工程分包给其他单位的,分包单位应当按照分包合同的约定对其分包工程的质量向总承包单位负责,总承包单位与分包单位对分包工程的质量承担连带责任。

第二十八条 施工单位必须按照工程设计图纸和施工技术标准施工,不得擅自修改工程设计,不得偷工减料。

施工单位在施工过程中发现设计文件和图纸有差错的,应当及时提出意见和建议。

第二十九条 施工单位必须按照工程设计要求、施工技术标准和合同约定,对建筑材料、建筑构配件、设备和商品混凝土进行检验,检验应当有书面记录和专人签字;未经检验或者检验不合格的,不得使用。

第三十条 施工单位必须建立、健全施工质量的检验制度,严格工序管理,做好隐蔽工程的质量检查和记录。隐蔽工程在隐蔽前,施工单位应当通知建设单位和建设工程质量监督机构。

第三十一条 施工人员对涉及结构安全的试块、试件以及有关材料,应当在建设单位或者工程监理单位监督下现场取样,并送具有相应资质等级的质量检测单位进行检测。

第三十二条 施工单位对施工中出现质量问题的建设工程或者竣工验收不合格的建设工程,应当负责返修。

第三十三条 施工单位应当建立、健全教育培训制度,加强对职工的教育培训;未经教育培训或者考核不合格的人员,不得上岗作业。

第五章　工程监理单位的质量责任和义务

第三十四条 工程监理单位应当依法取得相应等级的资质证书,并在其资质等级许可的范围内承担工程监理业务。

禁止工程监理单位超越本单位资质等级许可的范围或者以其他工程监理单位的名义承担工程监理业务。禁止工程监理单位允许其他单位或者个人以本单位的名义承担工程监理业务。

工程监理单位不得转让工程监理业务。

第三十五条 工程监理单位与被监理工程的施工承包单位以及建筑材料、建筑构配件和设备供应单位有隶属关系或者其他利害关系的,不得承担该项建设工程的监理业务。

第三十六条 工程监理单位应当依照法律、法规以及有关技术标准、设计文件和建设工程承包合同,代表建设单位对施工质量实施监理,并对施工质量承担监理责任。

第三十七条 工程监理单位应当选派具备相应资格的总监理工程师和监理工程师进驻施工现场。

未经监理工程师签字,建筑材料、建筑构配件和设备不得在工程上使用或者安装,施工单位不得进行下一道工序的施工。未经总监理工程师签字,建设单位不拨付工程款,不进行竣工验收。

第三十八条 监理工程师应当按照工程监理规范的要求,采取旁站、巡视和平行检验等形式,对建设工程实施监理。

第六章　建设工程质量保修

第三十九条 建设工程实行质量保修制度。

建设工程承包单位在向建设单位提交工程竣工验收报告时,应当向建设单位出具质量保修书。质量保修书中应当明确建设工程的保修范围、保修期限和保修责任等。

第四十条 在正常使用条件下,建设工程的最低保修期限为:

(一)基础设施工程、房屋建筑的地基基础工程和主体结构工程,为设计文件规定的该工程的合理使用年限;

(二)屋面防水工程、有防水要求的卫生间、房间和外墙面的防渗漏,为5年;

(三)供热与供冷系统,为2个采暖期、供冷期;

(四)电气管线、给排水管道、设备安装和装修工程,为2年。

其他项目的保修期限由发包方与承包方约定。

建设工程的保修期,自竣工验收合格之日起计算。

第四十一条　建设工程在保修范围和保修期限内发生质量问题的,施工单位应当履行保修义务,并对造成的损失承担赔偿责任。

第四十二条　建设工程在超过合理使用年限后需要继续使用的,产权所有人应当委托具有相应资质等级的勘察、设计单位鉴定,并根据鉴定结果采取加固、维修等措施,重新界定使用期。

第七章　监督管理

第四十三条　国家实行建设工程质量监督管理制度。

国务院建设行政主管部门对全国的建设工程质量实施统一监督管理。国务院铁路、交通、水利等有关部门按照国务院规定的职责分工,负责对全国的有关专业建设工程质量的监督管理。

县级以上地方人民政府建设行政主管部门对本行政区域内的建设工程质量实施监督管理。县级以上地方人民政府交通、水利等有关部门在各自的职责范围内,负责对本行政区域内的专业建设工程质量的监督管理。

第四十四条　国务院建设行政主管部门和国务院铁路、交通、水利等有关部门应当加强对有关建设工程质量的法律、法规和强制性标准执行情况的监督检查。

第四十五条　国务院发展计划部门按照国务院规定的职责,组织稽查特派员,对国家出资的重大建设项目实施监督检查。

国务院经济贸易主管部门按照国务院规定的职责,对国家重大技术改造项目实施监督检查。

第四十六条　建设工程质量监督管理,可由建设行政主管部门或者其他有关部门委托的建设工程质量监督机构具体实施。

从事房屋建筑工程和市政基础设施工程质量监督的机构,必须按照国家有关规定经国务院建设行政主管部门或者省、自治区、直辖市人民政府建设行政主管部门考核;从事专业建设工程质量监督的机构,必须按照国家有关规定经国务院有关部门或者省、自治区、直辖市人民政府有关部门考核。经考核合格后,方可实施质量监督。

第四十七条 县级以上地方人民政府建设行政主管部门和其他有关部门应当加强对有关建设工程质量的法律、法规和强制性标准执行情况的监督检查。

第四十八条 县级以上人民政府建设行政主管部门和其他有关部门履行监督检查职责时，有权采取下列措施：

（一）要求被检查的单位提供有关工程质量的文件和资料；

（二）进入被检查单位的施工现场进行检查；

（三）发现有影响工程质量的问题时，责令改正。

第四十九条 建设单位应当自建设工程竣工验收合格之日起15日内，将建设工程竣工验收报告和规划、公安消防、环保等部门出具的认可文件或者准许使用文件报建设行政主管部门或者其他有关部门备案。

建设行政主管部门或者其他有关部门发现建设单位在竣工验收过程中有违反国家有关建设工程质量管理规定行为的，责令停止使用，重新组织竣工验收。

第五十条 有关单位和个人对县级以上人民政府建设行政主管部门和其他有关部门进行的监督检查应当支持与配合，不得拒绝或者阻碍建设工程质量监督检查人员依法执行职务。

第五十一条 供水、供电、供气、公安消防等部门或者单位不得明示或者暗示建设单位、施工单位购买其指定的生产供应单位的建筑材料、建筑构配件和设备。

第五十二条 建设工程发生质量事故，有关单位应当在24小时内向当地建设行政主管部门和其他有关部门报告。对重大质量事故，事故发生地的建设行政主管部门和其他有关部门应当按照事故类别和等级向当地人民政府和上级建设行政主管部门以及其他有关部门报告。

特别重大质量事故的调查程序按照国务院有关规定办理。

第五十三条 任何单位和个人对建设工程的质量事故、质量缺陷都有权检举、控告、投诉。

第八章 罚 则

第五十四条 违反本条例规定,建设单位将建设工程发包给不具有相应资质等级的勘察、设计、施工单位或者委托给不具有相应资质等级的工程监理单位的,责令改正,处 50 万元以上 100 万元以下的罚款。

第五十五条 违反本条例规定,建设单位将建设工程肢解发包的,责令改正,处工程合同价款 0.5% 以上 1% 以下的罚款;对全部或者部分使用国有资金的项目,并可以暂停项目执行或者暂停资金拨付。

第五十六条 违反本条例规定,建设单位有下列行为之一的,责令改正,处 20 万元以上 50 万元以下的罚款:

(一)迫使承包方以低于成本的价格竞标的;

(二)任意压缩合理工期的;

(三)明示或者暗示设计单位或者施工单位违反工程建设强制性标准,降低工程质量的;

(四)施工图设计文件未经审查或者审查不合格,擅自施工的;

(五)建设项目必须实行工程监理而未实行工程监理的;

(六)未按照国家规定办理工程质量监督手续的;

(七)明示或者暗示施工单位使用不合格的建筑材料、建筑构配件和设备的;

(八)未按照国家规定将竣工验收报告、有关认可文件或者准许使用文件报送备案的。

第五十七条 违反本条例规定,建设单位未取得施工许可证或者开工报告未经批准,擅自施工的,责令停止施工,限期改正,处工程合同价款 1% 以上 2% 以下的罚款。

第五十八条 违反本条例规定,建设单位有下列行为之一的,责令改正,处工程合同价款 2% 以上 4% 以下的罚款;造成损失的,依法承担赔偿责任:

(一)未组织竣工验收,擅自交付使用的;

(二)验收不合格,擅自交付使用的;

(三)对不合格的建设工程按照合格工程验收的。

第五十九条 违反本条例规定,建设工程竣工验收后,建设单位未向建设行政主管部门或者其他有关部门移交建设项目档案的,责令改正,处 1 万元以上 10 万元以下的罚款。

第六十条 违反本条例规定,勘察、设计、施工、工程监理单位超越本单位资质等级承揽工程的,责令停止违法行为,对勘察、设计单位或者工程监理单位处合同约定的勘察费、设计费或者监理酬金 1 倍以上 2 倍以下的罚款;对施工单位处工程合同价款 2% 以上 4% 以下的罚款,可以责令停业整顿,降低资质等级;情节严重的,吊销资质证书;有违法所得的,予以没收。

未取得资质证书承揽工程的,予以取缔,依照前款规定处以罚款;有违法所得的,予以没收。

以欺骗手段取得资质证书承揽工程的,吊销资质证书,依照本条第一款规定处以罚款;有违法所得的,予以没收。

第六十一条 违反本条例规定,勘察、设计、施工、工程监理单位允许其他单位或者个人以本单位名义承揽工程的,责令改正,没收违法所得,对勘察、设计单位和工程监理单位处合同约定的勘察费、设计费和监理酬金 1 倍以上 2 倍以下的罚款;对施工单位处工程合同价款 2% 以上 4% 以下的罚款;可以责令停业整顿,降低资质等级;情节严重的,吊销资质证书。

第六十二条 违反本条例规定,承包单位将承包的工程转包或者违法分包的,责令改正,没收违法所得,对勘察、设计单位处合同约定的勘察费、设计费 25% 以上 50% 以下的罚款;对施工单位处工程合同价款 0.5% 以上 1% 以下的罚款;可以责令停业整顿,降低资质等级;情节严重的,吊销资质证书。

工程监理单位转让工程监理业务的,责令改正,没收违法所得,处合同约定的监理酬金 25% 以上 50% 以下的罚款;可以责令停业整顿,降低资质等级;情节严重的,吊销资质证书。

第六十三条 违反本条例规定,有下列行为之一的,责令改正,处 10 万元以上 30 万元以下的罚款:

（一）勘察单位未按照工程建设强制性标准进行勘察的；

（二）设计单位未根据勘察成果文件进行工程设计的；

（三）设计单位指定建筑材料、建筑构配件的生产厂、供应商的；

（四）设计单位未按照工程建设强制性标准进行设计的。

有前款所列行为，造成重大工程质量事故的，责令停业整顿，降低资质等级；情节严重的，吊销资质证书；造成损失的，依法承担赔偿责任。

第六十四条 违反本条例规定，施工单位在施工中偷工减料的，使用不合格的建筑材料、建筑构配件和设备的，或者有不按照工程设计图纸或者施工技术标准施工的其他行为的，责令改正，处工程合同价款2%以上4%以下的罚款；造成建设工程质量不符合规定的质量标准的，负责返工、修理，并赔偿因此造成的损失；情节严重的，责令停业整顿，降低资质等级或者吊销资质证书。

第六十五条 违反本条例规定，施工单位未对建筑材料、建筑构配件、设备和商品混凝土进行检验，或者未对涉及结构安全的试块、试件以及有关材料取样检测的，责令改正，处10万元以上20万元以下的罚款；情节严重的，责令停业整顿，降低资质等级或者吊销资质证书；造成损失的，依法承担赔偿责任。

第六十六条 违反本条例规定，施工单位不履行保修义务或者拖延履行保修义务的，责令改正，处10万元以上20万元以下的罚款，并对在保修期内因质量缺陷造成的损失承担赔偿责任。

第六十七条 工程监理单位有下列行为之一的，责令改正，处50万元以上100万元以下的罚款，降低资质等级或者吊销资质证书；有违法所得的，予以没收；造成损失的，承担连带赔偿责任：

（一）与建设单位或者施工单位串通，弄虚作假、降低工程质量的；

（二）将不合格的建设工程、建筑材料、建筑构配件和设备按照合格签字的。

第六十八条 违反本条例规定，工程监理单位与被监理工程的施工承包单位以及建筑材料、建筑构配件和设备供应单位有隶属关系或者其他利害关系承担该项建设工程的监理业务的，责令改正，处5万元以上 10 万元以下的罚款,降低资质等级或者吊销资质证书;有违法所得的,予以没收。

第六十九条 违反本条例规定,涉及建筑主体或者承重结构变动的装修工程,没有设计方案擅自施工的,责令改正,处 50 万元以上 100 万元以下的罚款;房屋建筑使用者在装修过程中擅自变动房屋建筑主体和承重结构的,责令改正,处 5 万元以上 10 万元以下的罚款。

有前款所列行为,造成损失的,依法承担赔偿责任。

第七十条 发生重大工程质量事故隐瞒不报、谎报或者拖延报告期限的,对直接负责的主管人员和其他责任人员依法给予行政处分。

第七十一条 违反本条例规定,供水、供电、供气、公安消防等部门或者单位明示或者暗示建设单位或者施工单位购买其指定的生产供应单位的建筑材料、建筑构配件和设备的,责令改正。

第七十二条 违反本条例规定,注册建筑师、注册结构工程师、监理工程师等注册执业人员因过错造成质量事故的,责令停止执业 1 年;造成重大质量事故的,吊销执业资格证书,5 年以内不予注册;情节特别恶劣的,终身不予注册。

第七十三条 依照本条例规定,给予单位罚款处罚的,对单位直接负责的主管人员和其他直接责任人员处单位罚款数额 5% 以上 10% 以下的罚款。

第七十四条 建设单位、设计单位、施工单位、工程监理单位违反国家规定,降低工程质量标准,造成重大安全事故,构成犯罪的,对直接责任人员依法追究刑事责任。

第七十五条 本条例规定的责令停业整顿、降低资质等级和吊销资质证书的行政处罚,由颁发资质证书的机关决定;其他行政处罚,由建设行政主管部门或者其他有关部门依照法定职权决定。

依照本条例规定被吊销资质证书的,由工商行政管理部门吊销其营业执照。

第七十六条 国家机关工作人员在建设工程质量监督管理工作中玩忽职守、滥用职权、徇私舞弊,构成犯罪的,依法追究刑事责任;尚不构成犯罪的,依法给予行政处分。

第七十七条　建设、勘察、设计、施工、工程监理单位的工作人员因调动工作、退休等原因离开该单位后，被发现在该单位工作期间违反国家有关建设工程质量管理规定，造成重大工程质量事故的，仍应当依法追究法律责任。

第九章　附　则

第七十八条　本条例所称肢解发包，是指建设单位将应当由一个承包单位完成的建设工程分解成若干部分发包给不同的承包单位的行为。

本条例所称违法分包，是指下列行为：

（一）总承包单位将建设工程分包给不具备相应资质条件的单位的；

（二）建设工程总承包合同中未有约定，又未经建设单位认可，承包单位将其承包的部分建设工程交由其他单位完成的；

（三）施工总承包单位将建设工程主体结构的施工分包给其他单位的；

（四）分包单位将其承包的建设工程再分包的。

本条例所称转包，是指承包单位承包建设工程，不履行合同约定的责任和义务，将其承包的全部建设工程转给他人或者将其承包的全部建设工程肢解以后以分包的名义分别转给其他单位承包的行为。

第七十九条　本条例规定的罚款和没收的违法所得，必须全部上缴国库。

第八十条　抢险救灾及其他临时性房屋建筑和农民自建低层住宅的建设活动，不适用本条例。

第八十一条　军事建设工程的管理，按照中央军事委员会的有关规定执行。

第八十二条　本条例自 2000 年 1 月 30 日起施行。

工程建设监理规定

第一章　总　则

第一条　为了确保工程建设质量,提高工程建设水平,充分发挥投资效益,促进工程建设监理事业的健康发展,制定本规定。

第二条　在中华人民共和国境内从事工程建设监理活动,必须遵守本规定。

第三条　本规定所称工程建设监理是指监理单位受项目法人的委托,依据国家批准的工程项目建设文件、有关工程建设的法律、法规和工程建设监理合同及其他工程建设合同,对工程建设实施的监督管理。

第四条　从事工程建设监理活动,应当遵循守法、诚信、公正、科学的准则。

第二章　工程建设监理的管理机构及职责

第五条　国家计委和建设部共同负责推进建设监理事业的发展,建设部归口管理全国工程建设监理工作。建设部的主要职责:

(一)起草并商国家计委制定、发布工程建设监理行政法规,监督实施;

(二)审批甲级监理单位资质;

(三)管理全国监理工程师资格考试、考核和注册等项工作;

(四)指导、监督、协调全国工程建设监理工作。

第六条　省、自治区、直辖市人民政府建设行政主管部门归口管理本行政区域内工程建设监理工作,其主要职责:

(一)贯彻执行国家工程建设监理法规,起草或制定地方工程建设

监理法规并监督实施;

（二）审批本行政区域内乙级、丙级监理单位的资质，初审并推荐甲级监理单位;

（三）组织本行政区域内监理工程师资格考试、考核和注册工作;

（四）指导、监督、协调本行政区域内的工程建设监理工作。

第七条 国务院工业、交通等部门管理本部门工程建设监理工作，其主要职责:

（一）贯彻执行国家工程建设监理法规，根据需要制定本部门工程建设监理实施办法，并监督实施;

（二）审批直属的乙级、丙级监理单位资质，初审并推荐甲级监理单位;

（三）管理直属监理单位的监理工程师资格考试、考核和注册工作;

（四）指导、监督、协调本部门工程建设监理工作。

第三章　工程建设监理范围及内容

第八条 工程建设监理的范围:

（一）大、中型工程项目;

（二）市政、公用工程项目;

（三）政府投资兴建和开发建设的办公楼、社会发展事业项目和住宅工程项目;

（四）外资、中外合资、国外贷款、赠款、捐款建设的工程项目。

第九条 工程建设监理的主要内容是控制工程建设的投资、建设工期和工程质量;进行工程建设合同管理，协调有关单位间的工作关系。

第四章　工程建设监理合同与监理程序

第十条 项目法人一般通过招标投标方式择优选定监理单位。

第十一条 监理单位承担监理业务，应当与项目法人签订书面工程建设监理合同。工程建设监理合同的主要条款是:监理的范围和内容、双方的权利与义务、监理费的计取与支付、违约责任、双方约定的其他事项。

第十二条 监理费从工程概算中列支,并核减建设单位的管理费。

第十三条 监理单位应根据所承担的监理任务,组建工程建设监理机构。监理机构一般由总监理工程师、监理工程师和其他监理人员组成。承担工程施工阶段的监理,监理机构应进驻施工现场。

第十四条 工程建设监理一般应按下列程序进行:

(一)编制工程建设监理规划;

(二)按工程建设进度,分专业编制工程建设监理细则;

(三)按照建设监理细则进行建设监理;

(四)参与工程竣工预验收,签署建设监理意见;

(五)建设监理业务完成后,向项目法人提交工程建设监理档案资料。

第十五条 实施监理前,项目法人应当将委托的监理单位、监理的内容、总监理工程师姓名及所赋予的权限,书面通知被监理单位。

总监理工程师应当将其授予监理工程师的权限,书面通知被监理单位。

第十六条 工程建设监理过程中,被监理单位应当按照与项目法人签订的工程建设合同的规定接受监理。

第五章　工程建设监理单位与监理工程师

第十七条 监理单位实行资质审批制度。

设立监理单位,须报工程建设监理主管机关进行资质审查合格后,向工商行政管理机关申请企业法人登记。监理单位应当按照核准的经营范围承接工程建设监理业务。

第十八条 监理单位是建筑市场的主体之一,建设监理是一种高智能的有偿技术服务。

监理单位与项目法人之间是委托与被委托的合同关系;与被监理单位是监理与被监理的关系。

监理单位应按照"公正、独立、自主"的原则,开展工程建设监理工作,公平地维护项目法人和被监理单位的合法权益。

第十九条　监理单位不得转让监理业务。

第二十条　监理单位不得承包工程,不得经营建筑材料、构配件和建筑机械、设备。

第二十一条　监理单位在监理过程中因过错造成重大经济损失的,应承担一定的经济责任和法律责任。

第二十二条　监理工程师实行注册制度。

监理工程师不得出卖、出借、转让、涂改《监理工程师岗位证书》。

第二十三条　监理工程师不得在政府机关或施工、设备制造、材料供应单位兼职,不得是施工、设备制造和材料、构配件供应单位的合伙经营者。

第二十四条　工程项目建设监理实行总监理工程师负责制。总监理工程师行使合同赋予监理单位的权限,全面负责受委托的监理工作。

第二十五条　总监理工程师在授权范围内发布有关指令,签认所监理的工程项目有关款项的支付凭证。

项目法人不得擅自更改总监理工程师的指令。总监理工程师有权建议撤换不合格的工程建设分包单位和项目负责人及有关人员。

第二十六条　总监理工程师要公正地协调项目法人与被监理单位的争议。

第六章　外资、中外合资和国外贷款、赠款、捐款建设的工程建设监理

第二十七条　国外公司或社团组织在中国境内独立投资的工程项目建设,如果需要委托国外监理单位承担建设监理业务时,应当聘请中国监理单位参加,进行合作监理。

中国监理单位能够监理的中外合资的工程建设项目,应当委托中国监理单位监理。若有必要,可以委托与该工程项目建设有关的国外监理机构监理或者聘请监理顾问。

国外贷款的工程项目建设,原则上应由中国监理单位负责建设监理。如果贷款方要求国外监理单位参加的,应当与中国监理单位进行合作监理。

国外赠款、捐款建设的工程项目,一般由中国监理单位承担建设监理业务。

第二十八条 外资、中外合资和国外贷款建设的工程项目的监理费用计取标准及付款方式,参照国际惯例由双方协商确定。

第七章 罚 则

第二十九条 项目法人违反本规定,由人民政府建设行政主管部门给予警告、通报批评,责令改正,并可处以罚款。对项目法人的处罚决定抄送计划行政主管部门。

第三十条 监理单位违反本规定,有下列行为之一的,由人民政府建设行政主管部门给予警告、通报批评、责令停业整顿、降低资质等级、吊销资质证书的处罚,并可处以罚款。

(一)未经批准而擅自开业;

(二)超出批准的业务范围从事工程建设监理活动;

(三)转让监理业务;

(四)故意损害项目法人、承建商利益;

(五)因工作失误造成重大事故。

第三十一条 监理工程师违反本规定,有下列行为之一的,由人民政府建设行政主管部门没收非法所得、收缴《监理工程师岗位证书》,并可处以罚款。

(一)假借监理工程师的名义从事监理工作;

(二)出卖、出借、转让、涂改《监理工程师岗位证书》;

(三)在影响公正执行监理业务的单位兼职。

第八章　附　则

第三十二条　本规定涉及国家计委职能的条款由建设部商国家计委解释。

第三十三条　省、自治区、直辖市人民政府建设行政主管部门、国务院有关部门参照本规定制定实施办法,并报建设部备案。

第三十四条　本规定自 1996 年 1 月 1 日起实施,建设部 1989 年 7 月 28 日发布的《建设监理试行规定》同时废止。

工程监理企业资质管理规定

第一章　总　则

第一条　为了加强对工程监理企业资质管理,维护建筑市场秩序,保证建设工程的质量、工期和投资效益的发挥,根据《中华人民共和国建筑法》《建设工程质量管理条例》,制定本规定。

第二条　在中华人民共和国境内申请工程监理企业资质,实施对工程监理企业资质管理,适用本规定。

第三条　工程监理企业应当按照其拥有的注册资本、专业技术人员和工程监理业绩等资质条件申请资质,经审查合格,取得相应等级的资质证书后,方可在其资质等级许可的范围内从事工程监理活动。

第四条　国务院建设行政主管部门负责全国工程监理企业资质的归口管理工作。国务院铁道、交通、水利、信息产业、民航等有关部门配合国务院建设行政主管部门实施相关资质类别工程监理企业资质的管理工作。

省、自治区、直辖市人民政府建设行政主管部门负责本行政区域内工程监理企业资质的归口管理工作。省、自治区、直辖市人民政府交通、水利、通信等有关部门配合同级建设行政主管部门实施相关资质类别工程监理企业资质的管理工作。

第二章　资质等级和业务范围

第五条　工程监理企业的资质等级分为甲级、乙级和丙级,并按照工程性质和技术特点划分为若干工程类别。

工程监理企业的资质等级标准如下:

（一）甲级

1．企业负责人和技术负责人应当具有 15 年以上从事工程建设工作的经历，企业技术负责人应当取得监理工程师注册证书；

2．取得监理工程师注册证书的人员不少于 25 人；

3．注册资本不少于 100 万元；

4．近三年内监理过五个以上二等房屋建筑工程项目或者三个以上二等专业工程项目。

（二）乙级

1．企业负责人和技术负责人应当具有 10 年以上从事工程建设工作的经历，企业技术负责人应当取得监理工程师注册证书；

2．取得监理工程师注册证书的人员不少于 15 人；

3．注册资本不少于 50 万元；

4．近三年内监理过五个以上三等房屋建筑工程项目或者三个以上三等专业工程项目。

（三）丙级

1．企业负责人和技术负责人应当具有 8 年以上从事工程建设工作的经历，企业技术负责人应当取得监理工程师注册证书；

2．取得监理工程师注册证书的人员不少于 5 人；

3．注册资本不少于 10 万元；

4．承担过二个以上房屋建筑工程项目或者一个以上专业工程项目。

第六条　甲级工程监理企业可以监理经核定的工程类别中一、二、三等工程；乙级工程监理企业可以监理经核定的工程类别中二、三等工程；丙级工程监理企业可以监理经核定的工程类别中三等工程。

第七条　工程监理企业可以根据市场需求，开展家庭居室装修监理业务。具体管理办法另行规定。

第三章　资质申请和审批

第八条　工程监理企业应当向企业注册所在地的县级以上地方人

民政府建设行政主管部门申请资质。

中央管理的企业直接向国务院建设行政主管部门申请资质,其所属的工程监理企业申请甲级资质的,由中央管理的企业向国务院建设行政主管部门申请,同时向企业注册所在地省、自治区、直辖市建设行政主管部门报告。

第九条 新设立的工程监理企业,到工商行政管理部门登记注册并取得企业法人营业执照后,方可到建设行政主管部门办理资质申请手续。

新设立的工程监理企业申请资质,应当向建设行政主管部门提供下列资料:

(一)工程监理企业资质申请表;

(二)企业法人营业执照;

(三)企业章程;

(四)企业负责人和技术负责人的工作简历、监理工程师注册证书等有关证明材料;

(五)工程监理人员的监理工程师注册证书;

(六)需要出具的其他有关证件、资料。

第十条 工程监理企业申请资质升级,除向建设行政主管部门提供本规定第九条所列资料外,还应当提供下列资料:

(一)企业原资质证书正、副本;

(二)企业的财务决算年报表;

(三)《监理业务手册》及已完成代表工程的监理合同、监理规划及监理工作总结。

第十一条 甲级工程监理企业资质,经省、自治区、直辖市人民政府建设行政主管部门审核同意后,由国务院建设行政主管部门组织专家评审,并提出初审意见;其中涉及铁道、交通、水利、信息产业、民航工程等方面工程监理企业资质的,由省、自治区、直辖市人民政府建设行政主管部门商同级有关专业部门审核同意后,报国务院建设行政主管部门,由国务院建设行政主管部门送国务院有关部门初审。国务院建设行政主管部门根据初审意见审批。

审核部门应当对工程监理企业的资质条件和申请资质提供的资料审查核实。

第十二条 乙、丙级工程监理企业资质,由企业注册所在地省、自治区、直辖市人民政府建设行政主管部门审批;其中交通、水利、通信等方面的工程监理企业资质,由省、自治区、直辖市人民政府建设行政主管部门征得同级有关部门初审同意后审批。

第十三条 申请甲级工程监理企业资质的,国务院建设行政主管部门每年定期集中审批一次。国务院建设行政主管部门应当在工程监理企业申请材料齐全后 3 个月内完成审批。由有关部门负责初审的,初审部门应当从收齐工程监理企业的申请材料之日起 1 个月内完成初审。国务院建设行政主管部门应当将审批结果通知初审部门。

国务院建设行政主管部门应当将经专家评审合格和国务院有关部门初审合格的甲级资质的工程监理企业名单及基本情况,在中国工程建设和建筑业信息网上公示。经公示后,对于工程监理企业符合资质标准的,予以审批,并将审批结果在中国工程建设和建筑业信息网上公告。

申请乙、丙级工程监理企业资质的,实行即时审批或者定期审批,由省、自治区、直辖市人民政府建设行政主管部门规定。

第十四条 新设立的工程监理企业,其资质等级按照最低等级核定,并设一年的暂定期。

第十五条 由于企业改制,或者企业分立、合并后组建设立的工程监理企业,其资质等级根据实际达到的资质条件,按照本规定的审批程序核定。

第十六条 工程监理企业申请晋升资质等级,在申请之日前一年内有下列行为之一的,建设行政主管部门不予批准:

(一)与建设单位或者工程监理企业之间相互串通投标,或者以行贿等不正当手段谋取中标的;

(二)与建设单位或者施工单位串通,弄虚作假、降低工程质量的;

(三)将不合格的建设工程、建筑材料、建筑构配件和设备按照合格签字的;

（四）超越本单位资质等级承揽监理业务的；

（五）允许其他单位或个人以本单位的名义承揽工程的；

（六）转让工程监理业务的；

（七）因监理责任而发生过三级以上工程建设重大质量事故或者发生过两起以上四级工程建设质量事故的；

（八）其他违反法律法规的行为。

第十七条 工程监理企业资质条件符合资质等级标准，且未发生本规定第十六条所列行为的，建设行政主管部门颁发相应资质等级的《工程监理企业资质证书》。

《工程监理企业资质证书》分为正本和副本，由国务院建设行政主管部门统一印制，正、副本具有同等法律效力。

第十八条 任何单位和个人不得涂改、伪造、出借、转让《工程监理企业资质证书》，不得非法扣压、没收《工程监理企业资质证书》。

第十九条 工程监理企业在领取新的《工程监理企业资质证书》的同时，应当将原资质证书交回原发证机关予以注销。

工程监理企业因破产、倒闭、撤销、歇业的，应当将资质证书交回原发证机关予以注销。

第四章　监督管理

第二十条 县级以上人民政府建设行政主管部门和其他有关部门应当加强对工程监理企业资质的监督管理。

禁止任何部门采取法律、行政法规规定以外的其他资信、许可等建筑市场准入限制。

第二十一条 建设行政主管部门对工程监理企业资质实行年检制度。

甲级工程监理企业资质，由国务院建设行政主管部门负责年检；其中铁道、交通、水利、信息产业、民航等方面的工程监理企业资质，由国务院建设行政主管部门会同国务院有关部门联合年检。

乙、丙级工程监理企业资质，由企业注册所在地省、自治区、直辖市人民政府建设行政主管部门负责年检;其中交通、水利、通信等方面的工程监理企业资质,由建设行政主管部门会同同级有关部门联合年检。

第二十二条　工程监理企业资质年检按照下列程序进行:

(一)工程监理企业在规定时间内向建设行政主管部门提交《工程监理企业资质年检表》、《工程监理企业资质证书》、《监理业务手册》以及工程监理人员变化情况及其他有关资料,并交验《企业法人营业执照》。

(二)建设行政主管部门会同有关部门在收到工程监理企业年检资料后 40 日内,对工程监理企业资质年检作出结论,并记录在《工程监理企业资质证书》副本的年检记录栏内。

第二十三条　工程监理企业资质年检的内容,是检查工程监理企业资质条件是否符合资质等级标准,是否存在质量、市场行为等方面的违法违规行为。

工程监理企业年检结论分为合格、基本合格、不合格三种。

第二十四条　工程监理企业资质条件符合资质等级标准,且在过去一年内未发生本规定第十六条所列行为的,年检结论为合格。

第二十五条　工程监理企业资质条件中监理工程师注册人员数量、经营规模未达到资质标准,但不低于资质等级标准的 80%,其他各项均达到标准要求,且在过去一年内未发生本规定第十六条所列行为的,年检结论为基本合格。

第二十六条　有下列情形之一的,工程监理企业的资质年检结论为不合格:

(一)资质条件中监理工程师注册人员数量、经营规模的任何一项未达到资质等级标准的 80%,或者其他任何一项未达到资质等级标准;

(二)有本规定第十六条所列行为之一的。

已经按照法律、法规的规定予以降低资质等级处罚的行为,年检中不再重复追究。

第二十七条　工程监理企业资质年检不合格或者连续两年基本合格的,建设行政主管部门应当重新核定其资质等级。新核定的资质等级应当低于原资质等级,达不到最低资质等级标准的,取消资质。

第二十八条 工程监理企业连续两年年检合格,方可申请晋升上一个资质等级。

第二十九条 降级的工程监理企业,经过一年以上时间的整改,经建设行政主管部门核查确认,达到规定的资质标准,且在此期间内未发生本规定第十六条所列行为的,可以按照本规定重新申请原资质等级。

第三十条 在规定时间内没有参加资质年检的工程监理企业,其资质证书自行失效,且一年内不得重新申请资质。

第三十一条 工程监理企业遗失《工程监理企业资质证书》,应当在公众媒体上声明作废。其中甲级监理企业应当在中国工程建设和建筑业信息网上声明作废。

第三十二条 工程监理企业变更名称、地址、法定代表人、技术负责人等,应当在变更后一个月内,到原资质审批部门办理变更手续。其中由国务院建设行政主管部门审批的企业除企业名称变更由国务院建设行政主管部门办理外,企业地址、法定代表人、技术负责人的变更委托省、自治区、直辖市人民政府建设行政主管部门办理,办理结果向国务院建设行政主管部门备案。

第五章 罚 则

第三十三条 以欺骗手段取得《工程监理企业资质证书》承揽工程的,吊销资质证书,处合同约定的监理酬金 1 倍以上 2 倍以下的罚款;有违法所得的,予以没收。

第三十四条 未取得《工程监理企业资质证书》承揽监理业务的,予以取缔,处合同约定的监理酬金 1 倍以上 2 倍以下的罚款;有违法所得的,予以没收。

第三十五条 超越本企业资质等级承揽监理业务的,责令停止违法行为,处合同约定的监理酬金 1 倍以上 2 倍以下的罚款;可以责令停业整顿,降低资质等级;情节严重的,吊销资质证书;有违法所得的,予以没收。

第三十六条 转让监理业务的,责令改正,没收违法所得,处合同约定的监理酬金25%以上50%以下的罚款;可以责令停业整顿,降低资质等级;情节严重的,吊销资质证书。

第三十七条 工程监理企业允许其他单位或者个人以本企业名义承揽监理业务的,责令改正,没收违法所得,处合同约定的监理酬金1倍以上2倍以下的罚款;可以责令停业整顿,降低资质等级;情节严重的,吊销资质证书。

第三十八条 有下列行为之一的,责令改正,处50万元以上100万元以下的罚款,降低资质等级或者吊销资质证书;有违法所得的,予以没收;造成损失的,承担连带赔偿责任:

(一)与建设单位或者施工单位串通,弄虚作假、降低工程质量的;

(二)将不合格的建设工程、建筑材料、建筑构配件和设备按照合格签字的。

第三十九条 工程监理单位与被监理工程的施工承包单位以及建筑材料、建筑构配件和设备供应单位有隶属关系或者其他利害关系承担该项建设工程的监理业务的,责令改正,处5万元以上10万元以下的罚款,降低资质等级或者吊销资质证书;有违法所得的,予以没收。

第四十条 本规定的责令停业整顿、降低资质等级和吊销资质证书的行政处罚,由颁发资质证书的机关决定;其他行政处罚,由建设行政主管部门或者其他有关部门依照法定职权决定。

第四十一条 资质审批部门未按照规定的权限和程序审批资质的,由上级资质审批部门责令改正,已审批的资质无效。

第四十二条 从事资质管理的工作人员在资质审批和管理工作中玩忽职守、滥用职权、徇私舞弊的,依法给予行政处分;构成犯罪的,依法追究刑事责任。

第六章 附 则

第四十三条 省、自治区、直辖市人民政府建设行政主管部门可以根据本规定制定实施细则,并报国务院建设行政主管部门备案。

第四十四条 本规定由国务院建设行政主管部门负责解释。

第四十五条 本规定自发布之日起施行。1992 年 1 月 18 日建设部颁布的《工程建设监理单位资质管理试行办法》(建设部令第 16 号)同时废止。

建设工程监理范围和规模标准规定

第一条 为了确定必须实行监理的建设工程项目具体范围和规模标准,规范建设工程监理活动,根据《建设工程质量管理条例》,制定本规定。

第二条 下列建设工程必须实行监理:

(一)国家重点建设工程;

(二)大中型公用事业工程;

(三)成片开发建设的住宅小区工程;

(四)利用外国政府或者国际组织贷款、援助资金的工程;

(五)国家规定必须实行监理的其他工程。

第三条 国家重点建设工程,是指依据《国家重点建设项目管理办法》所确定的对国民经济和社会发展有重大影响的骨干项目。

第四条 大中型公用事业工程,是指项目总投资额在 3000 万元以上的下列工程项目:

(一)供水、供电、供气、供热等市政工程项目;

(二)科技、教育、文化等项目;

(三)体育、旅游、商业等项目;

(四)卫生、社会福利等项目;

(五)其他公用事业项目。

第五条 成片开发建设的住宅小区工程,建筑面积在 5 万平方米以上的住宅建设工程必须实行监理;5 万平方米以下的住宅建设工程,可以实行监理,具体范围和规模标准由省、自治区、直辖市人民政府建设行政主管部门规定。

为了保证住宅质量,对高层住宅及地基、结构复杂的多层住宅应当实行监理。

第六条 利用外国政府或者国际组织贷款、援助资金的工程范围包括：

（一）使用世界银行、亚洲开发银行等国际组织贷款资金的项目；

（二）使用国外政府及其机构贷款资金的项目；

（三）使用国际组织或者国外政府援助资金的项目。

第七条 国家规定必须实行监理的其他工程是指：

（一）项目总投资额在 3000 万元以上关系社会公共利益、公众安全的下列基础设施项目：

（1）煤炭、石油、化工、天然气、电力、新能源等项目；

（2）铁路、公路、管道、水运、民航以及其他交通运输业等项目；

（3）邮政、电信枢纽、通信、信息网络等项目；

（4）防洪、灌溉、排涝、发电、引（供）水、滩涂治理、水资源保护、水土保持等水利建设项目；

（5）道路、桥梁、地铁和轻轨交通、污水排放及处理、垃圾处理、地下管道、公共停车场等城市基础设施项目；

（6）生态环境保护项目；

（7）其他基础设施项目。

（二）学校、影剧院、体育场馆项目。

第八条 国务院建设行政主管部门商同国务院有关部门后，可以对本规定确定的必须实行监理的建设工程具体范围和规模标准进行调整。

第九条 本规定由国务院建设行政主管部门负责解释。

第十条 本规定自发布之日起施行。

工程监理企业资质等级的条件

工程监理企业的资质等级分为甲级、乙级和丙级,并按照工程性质和技术特点划分为若干工程类别。甲级工程监理企业可以监理经核定的工程类别中一、二、三等工程;乙级工程监理企业可以监理经核定的工程类别中二、三等工程;丙级工程监理企业可以监理经核定的工程类别中三等工程。

甲级

1.企业负责人和技术负责人应当具有 15 年以上从事工程建设工作的经历,企业技术负责人应当取得监理工程师注册证书;

2.取得监理工程师注册证书的人员不少于 25 人;

3.注册资本不少于 100 万元;

4.近三年内监理过五个以上二等房屋建筑工程项目或者三个以上二等专业工程项目。

乙级

1.企业负责人和技术负责人应当具有 10 年以上从事工程建设工作的经历,企业技术负责人应当取得监理工程师注册证书;

2.取得监理工程师注册证书的人员不少于 15 人;

3.注册资本不少于 50 万元;

4.近三年内监理过五个以上三等房屋建筑工程项目或者三个以上三等专业工程项目。

丙级

1.企业负责人和技术负责人应当具有 8 年以上从事工程建设工作的经历,企业技术负责人应当取得监理工程师注册证书;

2.取得监理工程师注册证书的人员不少于 5 人;

3.注册资本不少于 10 万元;

4.承担过二个以上房屋建筑工程项目或者一个以上专业工程

项目。

工程监理企业应当向企业注册所在地的县级以上地方人民政府建设行政主管部门申请资质。

新设立的工程监理企业，到工商行政管理部门登记注册并取得企业法人营业执照后，方可到建设行政主管部门办理资质申请手续。新设立的工程监理企业申请资质，应当向建设行政主管部门提供下列资料：

1.工程监理企业资质申请表；

2.企业法人营业执照；

3.企业章程；

4.企业负责人和技术负责人的工作简历、监理工程师注册证书等有关证明材料；

5.工程监理人员的监理工程师注册证书；

6.需要出具的其他有关证件、资料。

新设立的工程监理企业，其资质等级按照最低等级核定，并设一年的暂定期。

注册监理工程师管理规定

第一章 总 则

第一条 为了加强对注册监理工程师的管理,维护公共利益和建筑市场秩序,提高工程监理质量与水平,根据《中华人民共和国建筑法》、《建设工程质量管理条例》等法律法规,制定本规定。

第二条 中华人民共和国境内注册监理工程师的注册、执业、继续教育和监督管理,适用本规定。

第三条 本规定所称注册监理工程师,是指经考试取得中华人民共和国监理工程师资格证书(以下简称资格证书),并按照本规定注册,取得中华人民共和国注册监理工程师注册执业证书(以下简称注册证书)和执业印章,从事工程监理及相关业务活动的专业技术人员。

未取得注册证书和执业印章的人员,不得以注册监理工程师的名义从事工程监理及相关业务活动。

第四条 国务院建设主管部门对全国注册监理工程师的注册、执业活动实施统一监督管理。

县级以上地方人民政府建设主管部门对本行政区域内的注册监理工程师的注册、执业活动实施监督管理。

第二章 注 册

第五条 注册监理工程师实行注册执业管理制度。

取得资格证书的人员,经过注册方能以注册监理工程师的名义执业。

第六条 注册监理工程师依据其所学专业、工作经历、工程业绩,按照《工程监理企业资质管理规定》划分的工程类别,按专业注册。每人最多可以申请两个专业注册。

第七条　取得资格证书的人员申请注册,由省、自治区、直辖市人民政府建设主管部门初审,国务院建设主管部门审批。

取得资格证书并受聘于一个建设工程勘察、设计、施工、监理、招标代理、造价咨询等单位的人员,应当通过聘用单位向单位工商注册所在地的省、自治区、直辖市人民政府建设主管部门提出注册申请;省、自治区、直辖市人民政府建设主管部门受理后提出初审意见,并将初审意见和全部申报材料报国务院建设主管部门审批;符合条件的,由国务院建设主管部门核发注册证书和执业印章。

第八条　省、自治区、直辖市人民政府建设主管部门在收到申请人的申请材料后,应当即时作出是否受理的决定,并向申请人出具书面凭证;申请材料不齐全或者不符合法定形式的,应当在 5 日内一次性告知申请人需要补正的全部内容。逾期不告知的,自收到申请材料之日起即为受理。

对申请初始注册的,省、自治区、直辖市人民政府建设主管部门应当自受理申请之日起 20 日内审查完毕,并将申请材料和初审意见报国务院建设主管部门。国务院建设主管部门自收到省、自治区、直辖市人民政府建设主管部门上报材料之日起,应当在 20 日内审批完毕并作出书面决定,并自作出决定之日起 10 日内,在公众媒体上公告审批结果。

对申请变更注册、延续注册的,省、自治区、直辖市人民政府建设主管部门应当自受理申请之日起 5 日内审查完毕,并将申请材料和初审意见报国务院建设主管部门。国务院建设主管部门自收到省、自治区、直辖市人民政府建设主管部门上报材料之日起,应当在 10 日内审批完毕并作出书面决定。

对不予批准的,应当说明理由,并告知申请人享有依法申请行政复议或者提起行政诉讼的权利。

第九条　注册证书和执业印章是注册监理工程师的执业凭证,由注册监理工程师本人保管、使用。

注册证书和执业印章的有效期为 3 年。

第十条 初始注册者,可自资格证书签发之日起3年内提出申请。逾期未申请者,须符合继续教育的要求后方可申请初始注册。

申请初始注册,应当具备以下条件:

(一)经全国注册监理工程师执业资格统一考试合格,取得资格证书;

(二)受聘于一个相关单位;

(三)达到继续教育要求;

(四)没有本规定第十三条所列情形。

初始注册需要提交下列材料:

(一)申请人的注册申请表;

(二)申请人的资格证书和身份证复印件;

(三)申请人与聘用单位签订的聘用劳动合同复印件;

(四)所学专业、工作经历、工程业绩、工程类中级及中级以上职称证书等有关证明材料;

(五)逾期初始注册的,应当提供达到继续教育要求的证明材料。

第十一条 注册监理工程师每一注册有效期为3年,注册有效期满需继续执业的,应当在注册有效期满30日前,按照本规定第七条规定的程序申请延续注册。延续注册有效期3年。延续注册需要提交下列材料:

(一)申请人延续注册申请表;

(二)申请人与聘用单位签订的聘用劳动合同复印件;

(三)申请人注册有效期内达到继续教育要求的证明材料。

第十二条 在注册有效期内,注册监理工程师变更执业单位,应当与原聘用单位解除劳动关系,并按本规定第七条规定的程序办理变更注册手续,变更注册后仍延续原注册有效期。

变更注册需要提交下列材料:

(一)申请人变更注册申请表;

(二)申请人与新聘用单位签订的聘用劳动合同复印件;

(三)申请人的工作调动证明(与原聘用单位解除聘用劳动合同或者聘用劳动合同到期的证明文件、退休人员的退休证明)。

第十三条 申请人有下列情形之一的,不予初始注册、延续注册或者变更注册:

(一)不具有完全民事行为能力的;

(二)刑事处罚尚未执行完毕或者因从事工程监理或者相关业务受到刑事处罚,自刑事处罚执行完毕之日起至申请注册之日止不满 2 年的;

(三)未达到监理工程师继续教育要求的;

(四)在两个或者两个以上单位申请注册的;

(五)以虚假的职称证书参加考试并取得资格证书的;

(六)年龄超过 65 周岁的;

(七)法律、法规规定不予注册的其他情形。

第十四条 注册监理工程师有下列情形之一的,其注册证书和执业印章失效:

(一)聘用单位破产的;

(二)聘用单位被吊销营业执照的;

(三)聘用单位被吊销相应资质证书的;

(四)已与聘用单位解除劳动关系的;

(五)注册有效期满且未延续注册的;

(六)年龄超过 65 周岁的;

(七)死亡或者丧失行为能力的;

(八)其他导致注册失效的情形。

第十五条 注册监理工程师有下列情形之一的,负责审批的部门应当办理注销手续,收回注册证书和执业印章或者公告其注册证书和执业印章作废:

(一)不具有完全民事行为能力的;

(二)申请注销注册的;

(三)有本规定第十四条所列情形发生的;

(四)依法被撤销注册的;

(五)依法被吊销注册证书的;

(六)受到刑事处罚的;

（七）法律、法规规定应当注销注册的其他情形。

注册监理工程师有前款情形之一的，注册监理工程师本人和聘用单位应当及时向国务院建设主管部门提出注销注册的申请；有关单位和个人有权向国务院建设主管部门举报；县级以上地方人民政府建设主管部门或者有关部门应当及时报告或者告知国务院建设主管部门。

第十六条 被注销注册者或者不予注册者，在重新具备初始注册条件，并符合继续教育要求后，可以按照本规定第七条规定的程序重新申请注册。

第三章 执 业

第十七条 取得资格证书的人员，应当受聘于一个具有建设工程勘察、设计、施工、监理、招标代理、造价咨询等一项或者多项资质的单位，经注册后方可从事相应的执业活动。从事工程监理执业活动的，应当受聘并注册于一个具有工程监理资质的单位。

第十八条 注册监理工程师可以从事工程监理、工程经济与技术咨询、工程招标与采购咨询、工程项目管理服务以及国务院有关部门规定的其他业务。

第十九条 工程监理活动中形成的监理文件由注册监理工程师按照规定签字盖章后方可生效。

第二十条 修改经注册监理工程师签字盖章的工程监理文件，应当由该注册监理工程师进行；因特殊情况，该注册监理工程师不能进行修改的，应当由其他注册监理工程师修改，并签字、加盖执业印章，对修改部分承担责任。

第二十一条 注册监理工程师从事执业活动，由所在单位接受委托并统一收费。

第二十二条 因工程监理事故及相关业务造成的经济损失，聘用单位应当承担赔偿责任；聘用单位承担赔偿责任后，可依法向负有过错的注册监理工程师追偿。

第四章 继续教育

第二十三条 注册监理工程师在每一注册有效期内应当达到国务院建设主管部门规定的继续教育要求。继续教育作为注册监理工程师逾期初始注册、延续注册和重新申请注册的条件之一。

第二十四条 继续教育分为必修课和选修课,在每一注册有效期内各为48学时。

第五章 权利和义务

第二十五条 注册监理工程师享有下列权利:

(一)使用注册监理工程师称谓;

(二)在规定范围内从事执业活动;

(三)依据本人能力从事相应的执业活动;

(四)保管和使用本人的注册证书和执业印章;

(五)对本人执业活动进行解释和辩护;

(六)接受继续教育;

(七)获得相应的劳动报酬;

(八)对侵犯本人权利的行为进行申诉。

第二十六条 注册监理工程师应当履行下列义务:

(一)遵守法律、法规和有关管理规定;

(二)履行管理职责,执行技术标准、规范和规程;

(三)保证执业活动成果的质量,并承担相应责任;

(四)接受继续教育,努力提高执业水准;

(五)在本人执业活动所形成的工程监理文件上签字、加盖执业印章;

(六)保守在执业中知悉的国家秘密和他人的商业、技术秘密;

(七)不得涂改、倒卖、出租、出借或者以其他形式非法转让注册证书或者执业印章;

（八）不得同时在两个或者两个以上单位受聘或者执业；

（九）在规定的执业范围和聘用单位业务范围内从事执业活动；

（十）协助注册管理机构完成相关工作。

第六章　法律责任

第二十七条　隐瞒有关情况或者提供虚假材料申请注册的,建设主管部门不予受理或者不予注册,并给予警告,1年之内不得再次申请注册。

第二十八条　以欺骗、贿赂等不正当手段取得注册证书的,由国务院建设主管部门撤销其注册,3年内不得再次申请注册,并由县级以上地方人民政府建设主管部门处以罚款,其中没有违法所得的,处以1万元以下罚款,有违法所得的,处以违法所得3倍以下且不超过3万元的罚款;构成犯罪的,依法追究刑事责任。

第二十九条　违反本规定,未经注册,擅自以注册监理工程师的名义从事工程监理及相关业务活动的,由县级以上地方人民政府建设主管部门给予警告,责令停止违法行为,处以3万元以下罚款;造成损失的,依法承担赔偿责任。

第三十条　违反本规定,未办理变更注册仍执业的,由县级以上地方人民政府建设主管部门给予警告,责令限期改正;逾期不改的,可处以5000元以下的罚款。

第三十一条　注册监理工程师在执业活动中有下列行为之一的,由县级以上地方人民政府建设主管部门给予警告,责令其改正,没有违法所得的,处以1万元以下罚款,有违法所得的,处以违法所得3倍以下且不超过3万元的罚款;造成损失的,依法承担赔偿责任;构成犯罪的,依法追究刑事责任:

（一）以个人名义承接业务的;

（二）涂改、倒卖、出租、出借或者以其他形式非法转让注册证书或者执业印章的;

（三）泄露执业中应当保守的秘密并造成严重后果的;

(四)超出规定执业范围或者聘用单位业务范围从事执业活动的；

(五)弄虚作假提供执业活动成果的；

(六)同时受聘于两个或者两个以上单位,从事执业活动的；

(七)其他违反法律、法规、规章的行为。

第三十二条 有下列情形之一的,国务院建设主管部门依据职权或者根据利害关系人的请求,可以撤销监理工程师注册：

(一)工作人员滥用职权、玩忽职守颁发注册证书和执业印章的；

(二)超越法定职权颁发注册证书和执业印章的；

(三)违反法定程序颁发注册证书和执业印章的；

(四)对不符合法定条件的申请人颁发注册证书和执业印章的；

(五)依法可以撤销注册的其他情形。

第三十三条 县级以上人民政府建设主管部门的工作人员,在注册监理工程师管理工作中,有下列情形之一的,依法给予处分；构成犯罪的,依法追究刑事责任：

(一)对不符合法定条件的申请人颁发注册证书和执业印章的；

(二)对符合法定条件的申请人不予颁发注册证书和执业印章的；

(三)对符合法定条件的申请人未在法定期限内颁发注册证书和执业印章的；

(四)对符合法定条件的申请不予受理或者未在法定期限内初审完毕的；

(五)利用职务上的便利,收受他人财物或者其他好处的；

(六)不依法履行监督管理职责,或者发现违法行为不予查处的。

第七章　附　则

第三十四条 注册监理工程师资格考试工作按照国务院建设主管部门、国务院人事主管部门的有关规定执行。

第三十五条 香港特别行政区、澳门特别行政区、台湾地区及外籍专业技术人员,申请参加注册监理工程师注册和执业的管理办法另行制定。

第三十六条　本规定自 2006 年 4 月 1 日起施行。1992 年 6 月 4 日建设部颁布的《监理工程师资格考试和注册试行办法》(建设部令第 18 号)同时废止。

国家物价局、建设部关于发布
工程建设监理费有关规定的通知

一九八八年以来,我国开始试行工程建设监理制度。几年的实践表明,实行工程建设监理制度,在控制工期、投资和保证质量等方面都发挥了积极作用。为了保证工程建设监理事业的顺利发展,维护建设单位和监理单位的合法权益,现对工程建设监理费有关问题规定如下:

一、工程建设监理,由取得法人资格、具备监理条件的工程监理单位实施,是工程建设的一种技术性服务。

二、工程建设监理,要体现"自愿互利、委托服务"的原则,建设单位与监理单位要签订监理合同,明确双方的权利和义务。

三、工程建设监理费,根据委托监理业务的范围、深度和工程的性质、规模、难易程度以及工作条件等情况,按照下列方法之一计收:

(一)按所监理工程概(预)算的百分比计收(见附表);

(二)按照参与监理工作的年度平均人数计算:3.5万~5万元/(人·年);

(三)不宜按(一)、(二)两项办法计收的,由建设单位和监理单位按商定的其他方法计收。

四、以上(一)、(二)两项规定的工程建设监理收费标准为指导性价格,具体收费标准由建设单位和监理单位在规定的幅度内协商确定。

五、中外合资、合作、外商独资的建设工程,工程建设监理费由双方参照国际标准协商确定。

六、工程建设监理费用于监理工作中的直接、间接成本开支,交纳税金和合理利润。

七、各监理单位要加强对监理费的收支管理,自觉接受物价和财务监督。

八、国务院各有关部门和各省、自治区、直辖市物价部门、建设部门可依据本通知规定,结合本地区、本部门情况制定具体实施办法,报国家物价局、建设部备案。

九、本通知自一九九二年十月一日起施行。

附表:工程建设监理收费标准

序号	工程概(预)算 M(万元)	设计阶段(含设计招标)监理取费 a(%)	施工(含施工招标)及保修阶段监理取费 b(%)
1	$M < 500$	$a > 0.20$	$b > 2.50$
2	$500 \leqslant M < 1000$	$0.15 < a \leqslant 0.20$	$2.00 < b \leqslant 2.50$
3	$1000 \leqslant M < 5000$	$0.10 < a \leqslant 0.15$	$1.40 < b \leqslant 2.00$
4	$5000 \leqslant M < 10000$	$0.08 < a \leqslant 0.10$	$1.20 < b \leqslant 1.40$
5	$10000 \leqslant M < 50000$	$0.05 < a \leqslant 0.08$	$0.80 < b \leqslant 1.20$
6	$50000 \leqslant M < 100000$	$0.03 < a \leqslant 0.05$	$0.60 < b \leqslant 0.80$
7	$100000 \leqslant M$	$a \leqslant 0.03$	$b \leqslant 0.60$

建设工程委托监理合同(示范文本)

第一部分　建设工程委托监理合同

委托人_____与监理人_____经双方协商一致,签订本合同。

一、委托人委托监理人监理的工程(以下简称"本工程")概况如下:

工程名称:

工程地点:

工程规模:

总投资:

二、本合同中的有关词语含义与本合同第二部分《标准条件》中赋予它们的含义相同。

三、下列文件均为本合同的组成部分:

①监理投标书或中标通知书;

②本合同标准条件;

③本合同专用条件;

④在实施过程中双方共同签署的补充与修正文件。

四、监理人向委托人承诺,按照本合同的规定,承担本合同专用条件中议定范围内的监理业务。

五、委托人向监理人承诺按照本合同注明的期限、方式、币种,向监理人支付报酬。

本合同自_____年_____月_____日开始实施,至_____年_____月_____日完成。

本合同一式_____份,具有同等法律效力,双方各执_____份。

委托人:(签章)　　　　　监理人:(签章)
住所:　　　　　　　　　住所:
法定代表人:(签章)　　　法定代表人:(签章)
开户银行:　　　　　　　开户银行:
账号:　　　　　　　　　账号:
邮编:　　　　　　　　　邮编:
电话:　　　　　　　　　电话:

本合同签订于:_____年_____月_____日。

第二部分　标准条件

词语定义、适用范围和法规

第一条　下列名词和用语,除上下文另有规定外,有如下含义:

(1)"工程"是指委托人委托实施监理的工程。

(2)"委托人"是指承担直接投资责任和委托监理业务的一方,以及其合法继承人。

(3)"监理人"是指承担监理业务和监理责任的一方,以及其合法继承人。

(4)"监理机构"是指监理人派驻本工程现场实施监理业务的组织。

(5)"总监理工程师"是指经委托人同意,监理人派到监理机构全面履行本合同的全权负责人。

(6)"承包人"是指除监理人以外,委托人就工程建设有关事宜签订合同的当事人。

(7)"工程监理的正常工作"是指双方在专用条件中约定,委托人委托的监理工作范围和内容。

(8)"工程监理的附加工作"是指:①委托人委托监理范围以外,通过双方书面协议另外增加的工作内容;②由于委托人或承包人原因,使监理工作受到阻碍或延误,因增加工作量或持续时间而增加的工作。

(9)"工程监理的额外工作"是指正常工作和附加工作以外,根据第三十六条规定监理人必须完成的工作,或非监理人自己的原因而暂停或终止监理业务,其善后工作及恢复监理业务的工作。

(10)"日"是指任何一天零时至第二天零时的时间段。

(11)"月"是指根据公历从一个月份中任何一天开始到下一个月相应日期的前一天的时间段。

第二条 建设工程委托监理合同适用的法律是指国家的法律、行政法规,以及专用条件中议定的部门规章或工程所在地的地方法规、地方规章。

第三条 本合同文件使用汉语语言文字书写、解释和说明。如专用条件约定使用两种以上(含两种)语言文字时,汉语应为解释和说明本合同的标准语言文字。

监理人义务

第四条 监理人按合同约定派出监理工作需要的监理机构及监理人员,向委托人报送委派的总监理工程师及其监理机构主要成员名单、监理规划,完成监理合同专用条件中约定的监理工程范围内的监理业务。在履行合同义务期间,应按合同约定定期向委托人报告监理工作。

第五条 监理人在履行本合同的义务期间,应认真、勤奋地工作,为委托人提供与其水平相适应的咨询意见,公正维护各方面的合法权益。

第六条 监理人使用委托人提供的设施和物品属委托人的财产。在监理工作完成或中止时,应将其设施和剩余的物品按合同约定的时间和方式移交给委托人。

第七条 在合同期内或合同终止后,未征得有关方同意,不得泄露与本工程、本合同业务有关的保密资料。

委托人义务

第八条 委托人在监理人开展监理业务之前应向监理人支付预付款。

第九条 委托人应当负责工程建设的所有外部关系的协调,为监理工作提供外部条件。根据需要,如将部分或全部协调工作委托监理人承担,则应在专用条件中明确委托的工作和相应的报酬。

第十条　委托人应当在双方约定的时间内免费向监理人提供与工程有关的为监理工作所需要的工程资料。

第十一条　委托人应当在专用条款约定的时间内就监理人书面提交并要求作出决定的一切事宜作出书面决定。

第十二条　委托人应当授权一名熟悉工程情况、能在规定时间内作出决定的常驻代表(在专用条款中约定),负责与监理人联系。更换常驻代表,要提前通知监理人。

第十三条　委托人应当将授予监理人的监理权利,以及监理人主要成员的职能分工、监理权限及时书面通知已选定的承包合同的承包人,并在与第三人签订的合同中予以明确。

第十四条　委托人应在不影响监理人开展监理工作的时间内提供如下资料:

(1)与本工程合作的原材料、构配件、机械设备等生产厂家名录。

(2)提供与本工程有关的协作单位、配合单位的名录。

第十五条　委托人应免费向监理人提供办公用房、通讯设施、监理人员工地住房及合同专用条件约定的设施,对监理人自备的设施给予合理的经济补偿(补偿金额＝设施在工程使用时间占折旧年限的比例×设施原值＋管理费)。

第十六条　根据情况需要,如果双方约定,由委托人免费向监理人提供其他人员,应在监理合同专用条件中予以明确。

监理人权利

第十七条　监理人在委托人委托的工程范围内,享有以下权利:

(1)选择工程总承包人的建议权。

(2)选择工程分包人的认可权。

(3)对工程建设有关事项包括工程规模、设计标准、规划设计、生产工艺设计和使用功能要求,向委托人的建议权。

(4)对工程设计中的技术问题,按照安全和优化的原则,向设计人提出建议;如果拟提出的建议可能会提高工程造价或延长工期,应当事先征得委托人的同意。当发现工程设计不符合国家颁布的建设工程质量标准或设计合同约定的质量标准时,监理人应当书面报告委托人并要求设计人更正。

(5)审批工程施工组织设计和技术方案,按照保质量、保工期和降低成本的原则,向承包人提出建议,并向委托人提出书面报告。

(6)主持工程建设有关协作单位的组织协调,重要协调事项应当事先向委托人报告。

(7)征得委托人同意,监理人有权发布开工令、停工令、复工令,但应当事先向委托人报告。如在紧急情况下未能事先报告时,则应在24小时内向委托人作出书面报告。

(8)工程上使用的材料和施工质量的检验权。对于不符合设计要求和合同约定及国家质量标准的材料、构配件、设备,有权通知承包人停止使用;对于不符合规范和质量标准的工序、分部分项工程和不安全施工作业,有权通知承包人停工整改、返工。承包人得到监理机构复工令后才能复工。

(9)工程施工进度的检查、监督权,以及工程实际竣工日期提前或超过工程施工合同规定的竣工期限的签认权。

(10)在工程施工合同约定的工程价格范围内,工程款支付的审核和签认权,以及工程结算的复核确认权与否决权。未经总监理工程师签字确认,委托人不支付工程款。

第十八条 监理人在委托人授权下,可对任何承包人合同规定的义务提出变更。如果由此严重影响了工程费用或质量、进度,则这种变更须经委托人事先批准。在紧急情况下未能事先报委托人批准时,监理人所做的变更也应尽快通知委托人。在监理过程中如发现工程承包人人员工作不力,监理机构可要求承包人调换有关人员。

第十九条 在委托的工程范围内,委托人或承包人对对方的任何意见和要求(包括索赔要求),均必须首先向监理机构提出,由监理机构研究处置意见,再同双方协商确定。当委托人和承包人发生争议时,监理机构应根据自己的职能,以独立的身份判断,公正地进行调解。当双方的争议由政府建设行政主管部门调解或仲裁机关仲裁时,应当提供作证的事实材料。

委托人权利

第二十条 委托人有选定工程总承包人,以及与其订立合同的权利。

第二十一条 委托人有对工程规模、设计标准、规划设计、生产工艺设计和设计使用功能要求的认定权,以及对工程设计变更的审批权。

第二十二条 监理人调换总监理工程师须事先经委托人同意。

第二十三条 委托人有权要求监理人提交监理工作月报及监理业务范围内的专项报告。

第二十四条 当委托人发现监理人员不按监理合同履行监理职责,或与承包人串通给委托人或工程造成损失的,委托人有权要求监理人更换监理人员,直到终止合同并要求监理人承担相应的赔偿责任或连带赔偿责任。

监理人责任

第二十五条 监理人的责任期即委托监理合同有效期。在监理过程中,如果因工程建设进度的推迟或延误而超过书面约定的日期,双方应进一步约定相应延长的合同期。

第二十六条 监理人在责任期内,应当履行约定的义务。如果因监理人过失而造成了委托人的经济损失,应当向委托人赔偿。累计赔偿总额(除本合同第二十四条规定以外)不应超过监理报酬总额(除去税金)。

第二十七条 监理人对承包人违反合同规定的质量要求和完工(交图、交货)时限,不承担责任。因不可抗力导致委托监理合同不能全部或部分履行,监理人不承担责任。但对违反第五条规定引起的与之有关的事宜,向委托人承担赔偿责任。

第二十八条 监理人向委托人提出赔偿要求不能成立时,监理人应当补偿由于该索赔所导致委托人的各种费用支出。

委托人责任

第二十九条 委托人应当履行委托监理合同约定的义务,如有违反则应当承担违约责任,赔偿给监理人造成的经济损失。

监理人处理委托业务时,因非监理人原因的事由受到损失的,可以向委托人要求补偿损失。

第三十条 委托人如果向监理人提出赔偿的要求不能成立,则应当补偿由该索赔所引起的监理人的各种费用支出。

合同生效、变更与终止

第三十一条 由于委托人或承包人的原因使监理工作受到阻碍或延误,以致发生了附加工作或延长了持续时间,则监理人应当将此情况与可能产生的影响及时通知委托人。完成监理业务的时间相应延长,并得到附加工作的报酬。

第三十二条 在委托监理合同签订后,实际情况发生变化,使得监理人不能全部或部分执行监理业务时,监理人应当立即通知委托人。该监理业务的完成时间应予延长。当恢复执行监理业务时,应当增加不超过 42 日的时间用于恢复执行监理业务,并按双方约定的数量支付监理报酬。

第三十三条 监理人向委托人办理完竣工验收或工程移交手续,承包人和委托人已签订工程保修责任书,监理人收到监理报酬尾款,本合同即终止。保修期间的责任,双方在专用条款中约定。

第三十四条 当事人一方要求变更或解除合同时,应当在 42 日前通知对方,因解除合同使一方遭受损失的,除依法可以免除责任的外,应由责任方负责赔偿。

变更或解除合同的通知或协议必须采取书面形式,协议未达成之前,原合同仍然有效。

第三十五条 监理人在应当获得监理报酬之日起 30 日内仍未收到支付单据,而委托人又未对监理人提出任何书面解释时,或根据第三十三条及第三十四条已暂停执行监理业务时限超过六个月的,监理人可向委托人发出终止合同的通知。发出通知后 14 日内仍未得到委托人答复,可进一步发出终止合同的通知。如果第二份通知发出后 42 日内仍未得到委托人答复,可终止合同或自行暂停或继续暂停执行全部或部分监理业务。委托人承担违约责任。

第三十六条 监理人由于非自己的原因而暂停或终止执行监理业务,其善后工作以及恢复执行监理业务的工作,应当视为额外工作,有权得到额外的报酬。

第三十七条 当委托人认为监理人无正当理由而又未履行监理义务时,可向监理人发出指明其未履行义务的通知。若委托人发出通知后 21 日内没有收到答复,可在第一个通知发出后 35 日内发出终止委托监理合同的通知,合同即行终止。监理人承担违约责任。

第三十八条 合同协议的终止并不影响各方应有的权利和应当承担的责任。

监理报酬

第三十九条 正常的监理工作、附加工作和额外工作的报酬,按照监理合同专用条件中第三十九条的方法计算,并按约定的时间和数额支付。

第四十条 如果委托人在规定的支付期限内未支付监理报酬,自规定之日起,还应向监理人支付滞纳金。滞纳金从规定支付期限最后一日起计算。

第四十一条 支付监理报酬所采取的货币币种、汇率由合同专用条件约定。

第四十二条 如果委托人对监理人提交的支付通知中报酬或部分报酬项目提出异议,应当在收到支付通知书 24 小时内向监理人发出表示异议的通知,但委托人不得拖延其他无异议报酬项目的支付。

其他

第四十三条 委托的建设工程监理所必要的监理人员出外考察、

材料设备复试,其费用支出经委托人同意的,在预算范围内向委托人实报实销。

第四十四条　在监理业务范围内,如需聘用专家咨询或协助,由监理人聘用的,其费用由监理人承担;由委托人聘用的,其费用由委托人承担。

第四十五条　监理人在监理工作过程中提出的合理化建议,使委托人得到了经济效益,委托人应按专用条件中的约定给予经济奖励。

第四十六条　监理人驻地监理机构及其职员不得接受监理工程项目施工承包人的任何报酬或者经济利益。

监理人不得参与可能与合同规定的与委托人的利益相冲突的任何活动。

第四十七条　监理人在监理过程中,不得泄露委托人申明的秘密,监理人亦不得泄露设计人、承包人等提供并申明的秘密。

第四十八条　监理人对于由其编制的所有文件拥有版权,委托人仅有权为本工程使用或复制此类文件。

争议的解决

第四十九条　因违反或终止合同而引起的对对方损失和损害的赔偿,双方应当协商解决。如未能达成一致,可提交主管部门协调。如仍未能达成一致时,根据双方约定提交仲裁机关仲裁,或向人民法院起诉。

第三部分　专用条件

第二条　本合同适用的法律及监理依据:

第四条　监理范围和监理工作内容:

第九条　外部条件包括:

第十条　委托人应提供的工程资料及提供时间:

第十一条　委托人应在_____天内对监理人书面提交并要求作出决定的事宜作出书面答复。

第十二条　委托人的常驻代表为＿＿＿＿＿＿＿＿＿＿＿＿＿＿＿＿＿

第十五条　委托人免费向监理机构提供如下设施：

监理人自备的、委托人给予补偿的设施如下：

补偿金额＝

第十六条　在监理期间,委托人免费向监理机构提供＿＿＿＿＿名工作人员,由总监理工程师安排其工作,凡涉及服务时,此类职员只应从总监理工程师处接受指示。并免费提供＿＿＿＿＿＿名服务人员。监理机构应与此类服务的提供者合作,但不对此类人员及其行为负责。

第二十六条　监理人在责任期内如果失职,同意按以下办法承担责任,赔偿损失[累计赔偿额不超过监理报酬总数(扣税)]：

赔偿金＝直接经济损失×报酬比率(扣除税金)

第三十九条　委托人同意按以下的计算方法、支付时间与金额,支付监理人的报酬：

委托人同意按以下的计算方法、支付时间与金额,支付附加工作报酬：(报酬＝附加工作日数×合同报酬/监理服务日)

委托人同意按以下的计算方法、支付时间与金额,支付额外工作报酬：

第四十一条　双方同意用＿＿＿＿＿＿＿＿支付报酬,按＿＿＿＿＿＿＿＿汇率计付。

第四十五条　奖励办法：

奖励金额＝工程费用节省额×报酬比率

第四十九条　本合同在履行过程中发生争议时,当事人双方应及时协商解决。协商不成时,双方同意由仲裁委员会仲裁(当事人双方不在本合同中约定仲裁机构,事后又未达成书面仲裁协议的,可向人民法院起诉)。

附加协议条款：

《工程建设监理合同》使用说明

《工程建设监理合同》包括《工程建设监理合同标准条件》和《工程建设监理合同专用条件》(以下简称为《标准条件》、《专用条件》)。

《标准条件》适用于各个工程项目建设监理委托,各个业主和监理单位都应当遵守。《专用条件》是各个工程项目根据自己的个性和所处的自然和社会环境,由业主和监理单位协商一致后进行填写。双方如果认为需要,还可在其中增加约定的补充条款和修正条款。

现对《专用条件》的填写说明如下:

《专用条件》应当对应《标准条件》的顺序进行填写。例如:

"第二条",要根据工程的具体情况,填写所适用的部门、地方法规、规章。

"第四条",在协商和写明其"监理工程范围"时,一般要与工程项目总概算、单位工程概算所涵盖的工程范围相一致,或与工程总承包合同、分包合同所涵盖工程范围相一致。

在写明"监理业务"时,首先要写明是承担哪个阶段的监理业务,或设计阶段的监理业务,或施工和保修阶段的监理业务,或全过程的监理业务;其次要详细写明委托阶段内每项具体监理工作,应当避免遗漏。其办法可按照《工程建设监理规定》中所列的监理内容和《监理大纲》所列的监理内容进一步细化。

如果业主还要求监理单位承担一些咨询业务和事务性工作,也应当在本条款中详细列出。例如,建设项目可行性研究、编制概预算、编制标底、提供改造交通、供水、供电设施的技术方案等。又例如,办理购地拆迁,提供临时设施的设计和监督其施工等。

"第十五条",在填写业主提供的设施和监理单位自备的设备时,一般是指下列设施与设备:(1)检测试验设备;(2)测量设备;(3)通信设备;(4)交通设备;(5)气象设备;(6)照相录像设备;(7)电算设备;(8)打字复印设备;(9)办公用房;(10)生活用房。

在写明业主给予监理单位自备设备经济补偿时,一般应写明补偿金额。其计算方法为:补偿金额=设施在工程上使用时间占折旧年限的比率×设施原值+管理费。

"第十六条",如果双方同意,可在专用条件中设立此条款。在填写此条款时应写明提供的人数和时间。

"第二十六条",在写明"赔偿额"时,应写明其计算方法。

"第三十九条",在写明"监理任务酬金"时,按照国家物价局和建设部(92)价费字 497 号文《工程建设监理费有关规定的通知》的规定计收。其支付时间应当写明某年某月某日支付数额。

在写明"附加工作酬金"时,应当写明如果业主未按原约定提供职员或服务员,或设施,业主应当按照监理实际用于这方面的费用给以完全补偿。还应写明,如果由于业主或第三方的阻碍或延误而使监理单位发生附加工作,也应当支付酬金。

计算方法为:酬金=附加工作日数×监理任务日平均酬金额。在写明其支付时间时,应当写明在其发生后的多少天内支付。

在写明"额外工作酬金"时,应当写明如果由于非监理单位的原因所发生的监理业务暂停,其暂停时间和用于恢复执行监理业务的时间为额外工作时间。如果中途中止委托合同而必须进行的善后工作时间也属于额外工作时间。额外工作时间均应收取酬金。其计算方法为:酬金=额外工作日数×监理业务日平均酬金额。在写明其支付时间时,应写明其后的多少天内支付。

"第四十五条",如果双方同意,可以在专用条件中设立此条款。在填写此条款时应当写明在什么情况下业主给予奖励以及奖励办法。例如,由于监理单位的合理化建议而使业主获得实际经济利益,其奖励办法可参照_____奖励办法。

参 考 文 献

[1] 赵广田,孙明权.工程监理与检测.郑州:黄河水利出版社,1998
[2] 欧震修.建筑工程施工监理手册.北京:中国建筑工业出版社,1995
[3] 熊景铸,张道军.建设监理.郑州:河南教育出版社,1992
[4] 张道军.工程建设监理的实践和前瞻.郑州:黄河水利出版社,2000
[5] 顾慰慈.工程监理质量控制.北京:中国建材工业出版社,2001
[6] 刘贞平,李清立,等.工程建设监理.北京:中国建筑工业出版社,1997
[7] 杨效中.建筑工程监理基础知识.北京:中国建筑工业出版社,2003
[8] 王新华.建设监理概论.北京:中国水利水电出版社,1999